NATURE
ET MUSIQUE

Du même auteur

Les Concertos de Poulenc, Zurfluh, 1999.
Verdi (1813-1901), Gisserot, 2001.
Les Musiciens romantiques, fascinations parisiennes, Fayard/Mirare, 2003.
L'Écriture de la critique musicale au temps de Berlioz, Champion, 2005.
Faust. La musique au défi du mythe, Fayard, 2008.
Comment la musique est devenue « romantique », de Rousseau à Berlioz, Fayard, 2013.

En collaboration avec Gilles Cantagrel et Catherine Massip :
Mozart. Don Giovanni, le manuscrit, Textuel, 2005.

En collaboration avec Yves Balmer :
Michèle Reverdy, compositrice « intranquille », Paris, Vrin, 2014.

Emmanuel Reibel

Nature et musique

Fayard

Remerciements

Je dédie ce livre à mes premiers lecteurs : Sandrine, mes parents, ma grand-mère, Brigitte François-Sappey, Élisabeth Brisson et Sophie Debouverie. Je tiens à remercier René Martin, tous ceux que j'ai sollicités pour divers conseils et les amis des réseaux sociaux qui m'ont orienté vers de passionnantes références !

En couverture
Henri Rousseau, dit le Douanier
La Charmeuse de serpents
Musée d'Orsay © Leemage
Couverture Josseline Rivière

ISBN : 978-2-213-70045-8

Nature immense, impénétrable et fière,
Toi seule donnes trêve à mon ennui sans fin.
Sur ton sein tout-puissant je sens moins ma misère,
Je retrouve ma force, et je crois vivre enfin.
Oui, soufflez ouragans, criez, forêts profondes,
Croulez rochers, torrents précipitez vos ondes !
À vos bruits souverains ma voix aime à s'unir.
Forêts, roches, torrents, je vous adore ! Mondes
Qui scintillez, vers vous s'élance le désir
D'un cœur trop vaste et d'une âme altérée
D'un bonheur qui la fuit.

Hector BERLIOZ, *La Damnation de Faust*
« Invocation à la nature »

INTRODUCTION

Le voile d'Isis et la lyre d'Orphée

La Nature en plein jour étale son mystère
Sous un voile éclatant que nul ne peut ravir.
GOETHE, *Faust*

Comme les peintres et les poètes, les musiciens n'ont cessé de puiser leur inspiration dans la nature : ils ont chanté l'alternance du jour et de la nuit, le cycle des saisons, le cours majestueux des fleuves, la beauté du ciel étoilé et le tumulte des éléments déchaînés. La musique n'a certes pas le même pouvoir de représentation que la peinture ou la littérature : il lui est impossible de donner avec précision l'idée d'un arbre ou d'une fleur ! Pourtant, elle est peut-être de tous les arts le plus en phase avec la nature. Écoutez le chant du rossignol, le clapotis des flots ou le sifflement du vent dans les feuilles : l'homme n'a fait que renchérir sur ces manifestations sonores, en soufflant dans des roseaux taillés, en percutant des peaux et des carapaces, en concevant d'innombrables instruments à partir du frêne, du poirier ou du châtaignier.

À défaut de pouvoir facilement imiter la nature, la musique souhaite souvent lui faire écho, afin d'entrer en résonance avec elle. Les Anciens se représentaient le cosmos (la nature en tant que tout ordonné) comme une harmonie, c'est-à-dire une résonance entre proportions parfaites. Les sons produits par les instruments permettaient de renvoyer à la « musique des sphères » : ils mettaient les hommes en sympathie avec le monde. Dans les sociétés primitives, les incantations visaient à maîtriser les éléments pour s'attirer ou conjurer les forces du vent, du feu ou de la pluie. La conviction a perduré à travers l'Histoire : par les mystères de la musique, il serait possible de communier avec la nature, voire d'agir sur elle. *La Flûte enchantée* de Mozart nous dit-elle autre chose ? Dans le plus universel des opéras, l'initiation de Tamino et Pamina met en scène le pouvoir de la musique sur la nature, au cœur du temple d'Isis.

Une allégorie de la nature

Comme Déméter ou Cérès, Isis est devenue depuis l'Antiquité l'une des plus fameuses allégories de la nature. Elle en personnifie la générosité et la fertilité ; elle en incarne également la dimension régénératrice. Lorsqu'au matin du 10 août 1793, une foule nombreuse se rassemble à Paris sur les décombres de la Bastille, tous les regards convergent vers le centre de la place : une imposante statue d'Isis a été érigée pour la Fête de la Régénération. Flanquée de deux lions, la déesse égyptienne a les mains repliées sur la poitrine, d'où jaillit l'eau d'une fontaine. Un orchestre d'harmonie et un grand chœur mixte font soudain retentir un puissant *Hymne à la nature* : la musique est signée François-Joseph Gossec, le compositeur officiel de la Révolution. Tour à tour solennelle et pastorale, elle célèbre les bienfaits de la nature, invoquée pour répandre son baume purificateur parmi les hommes. Quatre-vingt-six représentants des départements français sont alors invités à boire l'eau d'Isis, à la fontaine de la régénération.

L'ancienne déesse égyptienne joue un rôle-clé dans ce vaste rituel de cohésion civique. En ces temps troublés, elle symbolise le pouvoir de ressourcement que l'on accorde à la nature. Mais elle en incarne aussi les mystères. On la représente souvent parée d'un voile que les mortels ne peuvent découvrir, dans la tradition d'une inscription qui orne son temple à Saïs : « Je suis ce qui est, ce qui a été et ce qui sera, et nul n'a soulevé mon voile. » Isis se cache, comme si la connaissance ultime était impossible, voire interdite. Son voile traduit une ambivalence fondamentale : la nature se présente aux hommes sous la forme du merveilleux spectacle qu'offrent l'univers et le vivant en général, mais derrière cette fascinante apparence, elle semble vouloir se dérober, en masquant ses ressorts profonds, ses principes et ses lois. Que cache donc ce voile ? Peut-on impunément le soulever ?

De la science aux arts

De Kant à Goethe et à Beethoven, de nombreux créateurs ont médité sur l'inscription de Saïs. Mais scientifiques, philosophes et artistes ne répondent pas de la même façon à l'énigme qu'elle contient. Deux grandes attitudes semblent s'être opposées dans l'Histoire.

Une première, volontariste, a consisté à tenter d'arracher à la nature son voile, par ruse ou par force – à la façon de Prométhée, qui déroba héroïquement le feu aux dieux. C'est toute l'aventure de la science moderne, par laquelle l'homme chercha à se rendre maître et possesseur de la nature, afin de soumettre cette dernière à ses désirs. Bien des volumes scientifiques parus aux siècles classiques s'ouvrent par une iconographie représentant le dévoilement d'Isis-Nature, un sujet très courant jusque dans la statuaire officielle. Le sculpteur Louis-Ernest Barrias livra ainsi une monumentale *Nature se dévoilant devant la Science*, pour la nouvelle Faculté de médecine de Bordeaux en 1899. Actuellement conservée au musée d'Orsay, l'œuvre en marbre polychrome représente une jeune femme soulevant d'un geste lent le voile en onyx rubané dont elle est enveloppée. Si les scientifiques rêvent d'une Isis s'offrant d'elle-même, la réalité est souvent plus violente : notre XXIe siècle est désormais sensibilisé aux ravages technicistes de la nature, dont les conséquences imprévisibles finissent par se retourner contre l'homme.

La seconde manière de soulever le voile d'Isis est l'apanage des arts. Les audaces prométhéennes font alors place aux incantations orphiques. Si Orphée est devenu le modèle mythique de tous les poètes et musiciens, c'est parce que la nature lui obéit : accompagné à la lyre, son chant était capable, dit-on, de dompter les animaux les plus sauvages, de retenir le cours des ruisseaux, de commander aux éléments, voire de triompher de la mort. Par les arts, une autre connaissance de la nature serait donc possible : plus intuitive, plus immédiate et, espère-t-on, non moins efficiente. C'est dans cet esprit que la plupart des grands musiciens ont célébré les mystères de la nature, peut-être pour avoir prise sur elle, peut-être pour ressourcer leur art à l'essentiel. « Le musicien ne se trouverait-il pas dans le même rapport avec la nature qui l'environne, s'interroge E. T. A. Hoffmann, que le magnétiseur avec une somnambule ? » Au cœur de ses *Kreisleriana*, l'auteur allemand propose à tous les Orphée en puissance de s'attarder « aux portes du temple d'Isis », afin qu'ils méditent assidûment cet enseignement : « La musique est le langage général de la nature, qui nous parle en accords merveilleux et mystérieux. »

Quoiqu'il mérite d'être interrogé, ce lien intrinsèque entre musique et nature explique sans doute la raison pour laquelle de nombreux compositeurs se mettent à son écoute, parfois jusqu'à l'obsession. Quand ils ne cherchent pas à brosser l'épopée de son apparition, de Haydn (*La Création*) à Thomas Adès (*In Seven Days*), ils en imitent les manifestations physiques (Vivaldi, *Quatre Saisons*), ils en peignent les effets sur la sensibilité (Beethoven, *Symphonie pastorale*), ils en reproduisent les mouvements (Debussy, *La Mer*), ils en conjurent les éléments (Stravinsky, *Le Sacre du printemps*)... et ce, contre les diktats des formalistes proclamant l'autonomie de l'art ou la suprématie de la musique « pure », déliée de tout référent extérieur.

Un concept fécond

Les relations entre musique et nature sont toutefois trop riches et subtiles pour qu'on se contente de partir en quête de pages descriptives, au fil des saisons, des paysages, des mers et des fleuves. Désigne-t-on en effet par « nature » ce qui est extérieur à l'homme ? Ce qui s'oppose à la culture ? Ce qui est étranger à l'art et à l'artifice ? Une telle diversité de sens prouve qu'elle ne représente pas seulement l'ensemble des éléments physiques qui constituent notre environnement, vivants (végétaux, animaux) et non vivants (minéraux, éléments chimiques) : elle est également un concept, variable au fil de l'Histoire. L'Antiquité l'assimile au pouvoir de croissance spontané immanent à toute chose : la *physis* grecque puis la *natura* latine (« ce qui est en train de naître ») renvoient à un principe de mouvement et de développement internes. La pensée judéo-chrétienne a fait d'elle une création divine ; la science moderne l'a conçue comme un grand livre à déchiffrer ; l'époque contemporaine souligne à la fois sa complexité et, depuis la prise de conscience environnementale, sa fragilité. Le seul XVIIIe siècle fut le terrain de débats houleux qui eurent – de Rameau à Rousseau – l'idée de nature pour objet.

Or selon qu'elle fut conçue, historiquement, comme un espace statique fonctionnant à la façon d'une vaste mécanique, ou au contraire comme une force immanente, elle ne s'incarna pas de la même manière dans les productions de l'esprit. Aussi invitera-t-on le lecteur à réécouter quelques œuvres exemplaires, choisies dans le répertoire de la musique dite savante, de l'ère baroque à l'époque contemporaine, afin de montrer comment les évocations musicales de la nature se sont articulées à l'histoire de l'idée de nature. Et l'on verra ainsi par quels moyens la lyre d'Orphée a tenté de soulever le voile d'Isis.

Le Génie de la poésie dévoile l'image de la nature
(Thorwaldsen, 1807)

Arcadie

Autour des *Quatre Saisons* de Vivaldi

Quelle peinture eut jamais
le pouvoir d'égaler la nature ?
James THOMSON,
Les Saisons (1726)

Le sujet figure parmi les plus prisés des XVIIe et XVIIIe siècles. Il irrigue les arts décoratifs – papiers peints, calendriers, étoffes ou porcelaines – et traverse plus largement tous les domaines, depuis la poésie anglaise (Thomson) jusqu'à l'oratorio germanique (Haydn), en passant par le ballet (Lully) ou la peinture (Poussin). Pour leur part, les *Quatre Saisons* de Vivaldi sont devenues un « tube ». Leur succès international a débuté du vivant même de leur auteur : au cœur du XVIIIe siècle, le Concert spirituel de Paris n'a cessé de programmer *Le Printemps* pendant plus de trente ans. Aujourd'hui, certains mélomanes se sont lassés d'entendre une musique si souvent diffusée. C'est bien dommage, tant ces concertos sont séduisants et tant ils donnent à réfléchir. Leur exemplarité tient au fait qu'ils représentent, on va le voir, le parachèvement d'une tradition imitative née à la Renaissance.

Une musique descriptive

Leur caractère d'exception tient tout d'abord à leur titre. Chez Vivaldi, peu de concertos en comprennent un (une trentaine seulement, à l'échelle de son abondante production) et sur ce petit nombre, seuls quelques-uns sont liés à la nature. Ce sont en revanche les plus célèbres, si l'on songe à *La tempesta di mare*, à *La notte* ou encore à *Il gardellino*. Leur succès n'est sans doute pas étranger à ces titres, dont le pouvoir évocateur facilite leur écoute. Les Français du XVIIIe siècle, notamment, peinaient à entendre une musique qui ne peignît point : *sonate* et *concerti* italiens étaient d'autant plus accessibles qu'ils s'entouraient d'un propos extra-musical. Les *Quatre Saisons* auraient-elles été conçues pour un public français ?

Le mystère tient au fait que les circonstances de leur composition restent opaques. Les manuscrits originaux ont disparu. Lors de leur première publication, en 1725, les *Quatre Saisons* forment la première partie d'un ensemble de douze concertos pour violon parus sous le titre assez obscur d'*Il cimento dell'armonia e dell'invenzione* (« l'harmonie et l'invention mises à l'épreuve », ou encore « le défi de l'harmonie et de l'invention »). Cas unique chez Vivaldi, chacune des quatre partitions présente la caractéristique d'être précédée d'un sonnet descriptif. On ne connaît pas l'auteur de ces poèmes. Peut-être écrits par Vivaldi lui-même, ils se présentent comme des programmes narratifs. Des lettres placées en marge renvoient à des passages précis de la partition, un peu à la façon d'un guide d'écoute ; des mentions complémentaires sont ajoutées au fil des portées musicales, afin que les interprètes repèrent les effets imitatifs que leur jeu doit rendre.

L'allegro initial du *Printemps* s'ouvre par une ritournelle instrumentale peignant la joie devant l'éveil de la nature. Celle-ci revient de façon récurrente tout au long du mouvement, mais entre chacun de ses retours s'insère un épisode descriptif dans lequel se détache le *violino principale*. Voici, tout d'abord, un délicieux concert d'oiseaux (trilles et ornements aux seules parties de violons). Murmurent ensuite des ruisseaux caressés par le souffle des zéphyrs (délicates ondulations des lignes mélodiques en doubles croches). Le troisième épisode est celui de l'orage (agitation des triples croches *recto tono*, virtuosité du soliste), tandis que le dernier renoue avec le concert d'oiseaux. La musique suit donc de façon linéaire les quatrains du premier sonnet.

La primavera (le printemps)

Allegro	Le printemps est revenu ; tout enjoués Les oiseaux le saluent d'un chant allègre Tandis que les sources, au souffle des zéphyrs, Courent en émettant un doux murmure. Mais le ciel se couvre de nuages noirs Suivis d'éclairs et de coups de tonnerre ; Lorsqu'ils se sont tus, enfin, les oiseaux Emplissent à nouveau l'air de leurs chants.
Largo	Maintenant, sur le charmant pré fleuri, Au doux murmure des feuillages et des plantes Le chevrier s'endort, son chien fidèle à ses côtés.
Allegro	Au son joyeux de la musette rustique Le berger amoureux danse avec les nymphes, Leurs visages rayonnent dans la lumière du printemps nouveau.

L'estate (l'été)

Allegro non molto	Par la dure saison qu'attise le soleil ardent L'homme est harassé, ainsi que le troupeau, et le pin se consume ; Le coucou retrouve sa voix et joint son chant À celui de la tourterelle puis du chardonneret. Zéphyr passe doucement ; Mais Borée qui arrive le bouscule. Inquiet, le berger pleure Car il craint la rude bourrasque et ses effets.
Adagio	Les éclairs, les coups de tonnerre, Le vrombissement furieux des mouches et des insectes L'empêchent de se reposer et de soulager ses membres las.

Presto	Ah comme ses craintes sont réelles ! Il tonne ; la foudre gronde dans le ciel et la grêle Couche au sol les blés, et tous les autres grains.

L'autunno (l'automne)

Allegro	Dansant et chantant Le paysan fête sa belle récolte. Enivrés par la liqueur de Bacchus Nombre d'entre eux sombrent dans le sommeil Où leurs plaisirs trouvent fin.
Adagio molto	Tous ont délaissé les danses et les chants ; L'air doux enchante Car cette saison invite tout un chacun À jouir du très doux sommeil.
Allegro	Dès l'aube, les chasseurs partent pour la chasse Avec leurs cors, leurs fusils et leurs chiens. La bête sauvage s'enfuit, et ils suivent sa trace. Étourdie et exténuée par le fracas Des fusils et des chiens, blessée, elle tente De s'échapper, mais meurt tapie contre terre.

L'inverno (l'hiver)

Allegro non molto	Dans les neiges argentées, tremblants et gelés Par le souffle tranchant du vent glacé, On court et l'on frappe ses pieds contre le sol En claquant des dents, à cause du gel.
Largo	Enfin on s'assoit, paisibles et heureux, devant le feu. Tandis que, dehors, la pluie tombe à verse. On marche à pas lents sur la glace De peur de tomber.

Allegro	Car en allant trop vite on tombe à terre, On se relève et sur la glace on court vite Avant que celle-ci ne se brise, et fonde. Derrière les portes closes on entend Sirocco et Borée, et tous les vents se faire la guerre C'est cela l'hiver, mais qui apporte aussi ses joies.

Le même rapport narratif au poème se retrouve dans la plupart des mouvements rapides. L'allegro initial de *L'Été* peint la chaleur qui accable hommes et troupeaux ; on entend ensuite le chant du coucou, de la tourterelle et du chardonneret, l'arrivée des vents et de la tempête, les plaintes du berger redoutant les caprices du climat estival. Pour finir éclate un violent orage. Cette construction séquentielle pourrait paraître discontinue à qui n'aurait pas connaissance du programme. Dans le troisième mouvement de *L'Automne*, on perçoit successivement le son des cors de chasse imités par les doubles cordes du violon, la poursuite de la bête traquée, le mouvement de la meute, la mort de la proie. L'allegro final de *L'Hiver* peint de son côté une progression chaotique sur des rives gelées, du bris des glaces au déchaînement des vents.

Les mouvements lents, en revanche, abandonnent la juxtaposition de séquences au profit d'une approche synthétique du texte, par strates superposées. Dans *Le Printemps*, le chant du soliste évoque le sommeil du chevrier, tandis que les parties de violons ondulent pour représenter le bruissement des frondaisons ; l'alto énonce simultanément un motif iambique répétitif associé à l'aboiement du chien (*« il cane che grida »*, précise Vivaldi sur la partition). Le même procédé se retrouve dans le largo central de *L'Hiver* : il fait se superposer la chaleur du feu (thème cantabile du soliste) et les incessantes gouttes de pluie qui tombent à l'extérieur (pizzicati des violons 1 et 2).

Imiter la nature

Que Vivaldi aborde ces poèmes de façon linéaire ou synthétique, les *Quatre Saisons* portent à leur apogée une certaine idée de l'art conçu comme imitation de la nature. La *mimèsis* est un concept qui fut théorisé par Aristote, relayé par les Latins (« Tout art est une imitation de la nature », écrit Sénèque dans ses *Épîtres*) et réactivé à l'époque moderne. Depuis la Renaissance, il constitue la pierre angulaire de la réflexion esthétique. Tout part du postulat que la nature – création divine – est le lieu de la beauté idéale. Nécessairement inférieur à l'œuvre de Dieu, l'art ne saurait prétendre à la beauté sans s'inféoder lui-même à cette dernière. C'est d'elle seule que peut venir tout modèle, d'elle seule qu'il tire sa valeur universelle.

Si, au Moyen Âge, imiter la nature revenait à construire un ordre musical reflétant l'ordre du monde (la perfection étant liée à la science des proportions), à partir de la Renaissance, sous l'effet de l'humanisme, la *mimèsis* se dissocia progressivement de cette relation très globale au modèle, au profit d'un attrait nouveau pour le détail. La conception de la nature comme cosmos ne disparut point, mais ce dernier se présentait de plus en plus comme une somme de parties, à l'image de ces portraits d'Arcimboldo, auteur lui aussi de quatre fameuses *Saisons* composées selon un savant assemblage de fruits, de légumes et de fleurs.

En raison de son essence non signifiante, la musique ne pouvait certes peindre directement la nature, comme la poésie ou les beaux-arts ; en revanche, elle entendait compenser ce déficit mimétique et gagner en dignité en tentant de représenter, par les sons, certaines *parties* de la nature, au même titre que les grands types de passions humaines. À cette fin, les artistes de la Renaissance mirent en place une série de figures musicales : les « figuralismes » s'employèrent à construire l'image sonore des mots. Très codifiés depuis le répertoire du madrigal italien ou de la chanson polyphonique française, ils étaient liés à une conception rhétorique du discours musical. Tout un arsenal de formules mélodiques ou rythmiques, contrapuntiques ou harmoniques, se mirent à suggérer l'idée du mouvement de l'eau, de la frondaison, de la floraison, de l'envol des oiseaux, du jour et de la nuit, etc. La musique put ainsi prétendre, comme la peinture, à se faire image.

Chasses, concerts d'oiseaux et autres figuralismes

C'est dans cette tradition très codifiée – loin de tout effet de réel – que se situe le propos descriptif des *Quatre Saisons*. Quel auditeur peut aujourd'hui identifier les mouches et les taons, dans le mouvement lent de *L'Été*, sauf à avoir préalablement lu les indications de la partition ? Ces insectes ne sont pas évoqués par quelque bourdonnement sonore, sur un mode réaliste, mais par un simple rythme pointé des violons dans la nuance *piano*. Coucou, tourterelle et chardonneret seraient aujourd'hui quasi imperceptibles, de même, sans le guide d'écoute proposé par Vivaldi. Or la plupart de ces effets pouvaient s'entendre, à l'époque, dans la mesure où ils relevaient de codes largement répandus.

Les chasses, par exemple, étaient devenues un quasi-genre musical : *caccie* italiennes et *chaces* françaises recouraient souvent à la technique du canon, symbolisant la poursuite du chasseur et la fuite du gibier ; si Vivaldi ne la reprend pas dans *L'Automne*, il est ici héritier de ces pages de la Renaissance qui imitent les sonneries de cors, les cris des chasseurs et le mouvement de la meute. Ce lieu commun traverse aussi plusieurs de ses opéras. La France n'est pas en reste, au même moment, si l'on songe par exemple à *La Chasse* de Louis-Claude Daquin : ce petit divertissement pour clavecin fait se succéder l'appel des chasseurs, la marche, l'appel des chiens, la prise du cerf, la curée et les réjouissances.

Les oiseaux avaient intéressé les musiciens, parallèlement, depuis Clément Janequin (*Le Chant des oyseaux*). On les retrouve chez les clavecinistes français et ils traversent maintes pages d'opéras, souvent associés aux scènes champêtres ou aux rencontres amoureuses. L'évocation des oisillons réclame parfois l'utilisation du piccolo (aria d'Almirena, premier acte du *Rinaldo* de Haendel) mais le plus souvent c'est le violon qui est chargé de figurer le ramage. Dans *Giulio Caesare*, la fameuse aria de César compare la voix de Lydie au chant des oiseaux : le violon solo de Haendel y répond, de façon quasi contemporaine, à celui du *Printemps* de Vivaldi. Dans tous ces concerts d'oiseaux, la tierce descendante permet d'identifier clairement le coucou, mais les autres volatiles sont indifféremment stylisés : surabondance de trilles, registre aigu, intervalles caractéristiques comme le saut de quarte.

Dès les premières mesures du concerto *L'Hiver* survient un autre archétype baroque : l'évocation du froid. Les figures de tremblements, dans une pulsation régulière entrecoupée à chaque temps, donnent l'impression que l'orchestre grelotte. Il existe deux fameux antécédents chez Lully (*Isis*, chœur des trembleurs) et chez Purcell (*King Arthur*, air du Génie du froid).

La figuration du mouvement de l'eau, que l'on entend dans le premier mouvement du *Printemps*, est elle aussi héritière d'une riche tradition. Celle-ci a marqué l'Europe entière, puisque à l'époque de Vivaldi, on la retrouve à maintes reprises dans la musique de Bach. Dans ses cantates, le mouvement ininterrompu de lignes mélodiques ondulantes représente les eaux vives du Jourdain, l'ondoiement du lac de Tibériade ou, comme dans le chœur d'entrée de la cantate *Schleicht, spielende Wellen* (Glissez, ondes folâtres), le flux régulier des cours d'eau. Celui-ci peut parfois s'agiter pour laisser place à des flots écumants, et conduire aux déferlements des tempêtes.

Dans les *Quatre Saisons*, Vivaldi revisite à cette fin un stéréotype de la tradition italienne : le *stile concitato*, inventé par Monteverdi au siècle précédent pour peindre l'ardeur belliqueuse ou les passions telles que la colère. Ce « style agité » est une figure de rhétorique décrite avec précision dans la préface du *Huitième Livre de madrigaux* : elle correspond à la répétition très rapide d'une même note, sous la forme de seize doubles croches, par exemple, dans une mesure à quatre temps. Cet effet de trémolo est systématiquement utilisé dans *Le Printemps* ou *L'Été* pour tous les passages, nombreux, consacrés à la peinture de l'orage.

Le génie de Vivaldi consiste donc à réactualiser, avec une étonnante variété d'invention et de disposition, toute une tradition de rhétorique imitative ; cette dernière est à présent étendue à des horizons insoupçonnés, mais aussi dissociée de la musique vocale qui l'avait fait éclore. On peut alors entendre les *Quatre Saisons* comme une ode aux nouvelles possibilités de la musique instrumentale. Dans l'orage qui referme *L'Été*, tous les traits caractéristiques de la virtuosité italienne concourent à l'effet figuratif :

associée au *stile concitato*, toute la palette des batteries, des gammes et des arpèges crée une atmosphère électrique. On entend littéralement la pluie torrentielle, striée par les vents et déchirée par les éclairs. Vivaldi ne livre pas seulement une ode à la virtuosité violonistique ainsi qu'un témoignage de l'extraordinaire développement du répertoire instrumental, en ce début du XVIIIe siècle : il parvient à donner à l'imitation de la nature un relief inédit. Mais de quelle nature s'agit-il exactement ?

DES BERGERS ET DES NYMPHES

On pourrait songer aux paysages d'Italie du Nord : il arrivait à Vivaldi de parcourir la campagne vénitienne en diligence, notamment lorsqu'il était invité dans les résidences estivales des aristocrates pour lesquels il composait. Mais est-ce cette nature-là qui l'inspira ? C'est peu probable. Au même moment, les peintres Marco Ricci et Francesco Zuccarelli goûtent certes les petits formats représentant de gracieuses campagnes, et les védutistes s'intéressent aux paysans, aux chasseurs et à la vie rurale. Mais Vivaldi ne cherche pas à mettre en sons la Vénétie, la lagune ou le grand canal. Les *Quatre Saisons* ne relèvent pas du paysage : non seulement le rapport à la nature y est très codifié, on l'a vu, mais l'objet de la représentation y est de surcroît idéalisé.

Il faut relire attentivement les poèmes. À l'évidence, le cadre n'y est point vénitien. On croise un chevrier, des paysans et des chasseurs qui ne sont ni d'ici ni d'ailleurs ; et dès le *Printemps* on voit surtout des bergers danser avec des nymphes ! Cette nature traversée par de discrètes références mythologiques (les vents Zéphyr et Borée) est celle de l'âge d'or – la dernière période à laquelle, dit-on, les hommes et les dieux vécurent de concert. C'est le cycle harmonieux de la nature, en des temps immémoriaux, que célèbrent donc les *Quatre Saisons*.

Rien d'étonnant à cela : à l'époque de Vivaldi, le réel semble généralement trop imparfait pour servir de modèle. Il n'y a pas là de contradiction avec la théorie de la *mimèsis*, car c'est alors la « Belle Nature » qu'il s'agit d'imiter : une nature recomposée, embellie, idéalisée, ainsi reliée à sa vérité profonde. On songe à ces propos de l'Abbé Fraguier, rapportés dans l'article ÉGLOGUE de l'*Encyclopédie* de Diderot et D'Alembert : « Quoique la poésie bucolique ait pour but d'imiter ce qui se passe et ce qui se dit entre les bergers, elle ne doit pas s'en tenir à la simple représentation du vrai réel qui rarement serait agréable ; elle doit s'élever jusqu'au vrai idéal, qui tend à embellir le vrai tel qu'il est dans la nature [...]. Il en est de la poésie pastorale comme du paysage, qui n'est presque jamais peint d'après un lieu particulier, mais dont la beauté résulte de l'assemblage de divers morceaux réunis sous un seul point de vue. »

Cette idéalisation caractérise bien les *Quatre Saisons*. Vivaldi y évite tout élément pittoresque, qui contribuerait à enraciner ces concertos dans un lieu précis. L'évocation d'une nature idyllique culmine dans le dernier mouvement du *Printemps*, qui réunit nymphes et bergers. Ce paisible allegro se présente comme une danse pastorale : balancée à 12/8, celle-ci est caractérisée par un rythme de sicilienne et par un style populaire rappelant la musette, avec sa pédale de basse et son thème doublé à la tierce. Cette musique semble entrer en résonance avec un propos du poète anglais Alexander Pope : « Si nous voulons copier la nature, il n'est peut-être pas inutile de garder en tête l'idée que la pastorale est une image de ce qu'on appelle l'âge d'or. Aussi ne faut-il pas décrire nos bergers comme ils sont réellement de nos jours, mais comme on peut concevoir qu'ils ont été, lorsque les meilleurs des hommes se livraient à cette occupation[1]. »

Orphée et la pastorale

La pastorale des *Quatre Saisons* nous mène tout droit en Arcadie, cette région de Grèce connue pour être le lieu de l'âge d'or. Cette terre peuplée de bergers et de bergères mythiques paraît antérieure aux sociétés humaines comme à l'histoire. Tout y est calme, innocence et naïveté. L'Arcadie traduit en réalité un fantasme primitiviste : elle constitue un espace de représentation symbolique trahissant le désir qu'a l'homme de vivre dans un monde idéal et simple, en harmonie avec la nature. Mais l'Arcadie ne met pas seulement en jeu une conception

1. « A Discourse on pastoral », 1709.

de la nature : elle convoque la musique, essentielle à la construction et à la préservation de cet idéal collectif. Non seulement les bergers dansent, mais ils sont poètes et musiciens. Cette terre mythique abrite la nymphe Écho, qui permet à la nature de dialoguer avec les hommes, ou encore le dieu Pan, dont la flûte incarne le pouvoir irrationnel de la musique. Orphée est, plus encore, l'émanation par excellence de l'Arcadie. À la fois poète et musicien, il représente la parfaite union des arts, à l'image de l'harmonie régnant entre l'homme et le monde. Par ses pouvoirs fabuleux, son chant soumet la nature : il incarne le rêve d'un art tout-puissant. Tel est l'idéal constant des poètes, des musiciens et des peintres, si l'on songe encore à la devise du Titien en son temps : *Natura potentior ars*, « l'art est plus puissant que la nature ».

Or c'est parce qu'elle véhicule une conception orphique du monde et de l'art que la pastorale a joué un rôle si important dans l'imaginaire occidental. Elle a investi depuis la Renaissance la poésie, le roman et le théâtre, dans le souvenir des modèles antiques : *Idylles* de Théocrite, *Géorgiques* de Virgile ou encore *Daphnis et Chloé* de Longus. Elle prospère par ses implications métaphoriques ou allégoriques : elle permet d'aborder, sous le voile de l'idylle champêtre, diverses questions artistiques, sociales, philosophiques voire érotiques. Les pastorales ont connu leur heure de gloire dans l'Italie de la fin du *Cinquecento* : *L'Aminta* du Tasse, le *Pastor fido* de Guarini, le *Pentimento amoroso* de Luigi Groto peignent une nature idyllique servant de cadre aux aventures de bergers, de nymphes et de satyres. Les amours de Silvia et d'Aminta, d'Amarilli et de Mirtillo connaissent un incroyable succès à travers l'Europe entière.

Les madrigaux italiens sont nourris de cet univers arcadien. Le plus souvent, la nature bienfaitrice y joue le rôle d'aimable toile de fond, mais elle est parfois hissée au rang de sujet principal. Marenzio consacre son « Scaldava il sol » à la torpeur du soleil de midi ; Monteverdi signe un tableau poétique du jour à son réveil dans son *Deuxième Livre de madrigaux* (« Ecco mormorar l'onde »), et une belle ode au printemps dans le *Troisième Livre* (« O Primavera, giovantù dell'anno »). Les bienfaits du soleil, l'aurore messagère, le printemps consolateur, autant d'archétypes.

Intrinsèquement musicale et orphique, cette nature arcadienne n'est pas étrangère à la naissance de la *favola in musica* à la fin du XVIe siècle. Des chœurs de bergers retentissent dans les premières pastorales italiennes, et dès les livrets de Rinuccini pour *Dafne* et *Euridice*, l'opéra naissant fait se rencontrer l'héritage de la tragédie et celui de la pastorale. Les deux premiers actes de l'*Orfeo* de Monteverdi peignent à merveille cet univers arcadien. Ils consacrent la nature comme *locus amoenus* (lieu agréable). Sources riantes, gazons frais, grottes humides, arbres et fleurs constitueront désormais un cadre propice à la création poétique, à l'échange amoureux ou au sommeil bienheureux. L'opéra italien du XVIIe siècle met alors peu à peu en place les caractéristiques musicales de la pastorale, telles qu'on les retrouve dans le *Printemps* des *Quatre Saisons*. Au début du XVIIIe siècle, celle-ci est devenue un archétype stylistique : mouvement balancé en rythme ternaire, simplicité mélodique et harmonique, doublures à la tierce et à la sixte, timbres de flûtes ou de hautbois réveillant l'imaginaire de la vie agreste.

L'archétype est passé d'Italie en France : dès la fin du XVIe siècle, on y a lu les traductions du Tasse ou de Guarini. La mode du roman pastoral a culminé avec *L'Astrée* d'Honoré d'Urfé, qui a connu à son tour un succès européen. Les univers bucoliques et dramatiques ont fusionné chez Cambert, Lully et Destouches, auteurs de pastorales comiques ou héroïques. Le mythe arcadien est encore réactivé sous Louis XV : il se marie alors à l'esprit des fêtes galantes. Dans une subtile dialectique entre le passé et le présent, le réel et l'imaginaire, la nature constitue un cadre idyllique dans les scènes champêtres de Watteau ou de Boucher, tandis qu'elle s'incarne dans de nombreuses pastorales musicales cultivant une forme de simplicité : on retrouve la stylisation de mélodie populaire, le balancement ternaire, l'effet de bourdon évoquant la musette. Ce type de musique n'a pourtant rien de populaire ni de « naturel » : il est créé de toutes pièces pour les besoins d'une société aristocratique observant la vie et les mœurs rustiques à distance, et idéalisant une nature qui légitime selon eux, par surcroît, l'érotisme galant.

Le succès de la pastorale arcadienne, à l'époque baroque, tient à ce qu'elle se développe également dans l'univers religieux. Elle culmine au moment de la fête de Noël : d'Orphée au Christ, et des bergers antiques aux bergers bibliques, il n'y a qu'un pas. L'archétype résonne alors dans de nombreuses pages dédiées au temps de l'Avent, à la façon du *8e Concerto* de Locatelli pour quatre violons, ou encore du fameux concerto grosso de Corelli « pour la nuit de Noël ». Jean-Sébastien Bach a fait sienne cette nature arcadienne-chrétienne : pour s'en convaincre, il suffit d'écouter la *sinfonia* introductive de la deuxième cantate de l'*Oratorio de Noël.* La campagne et les pâtres sont figurés par une douce pastorale prenant la forme d'une sicilienne à 12/8 et rehaussée par des timbres d'anches très caractéristiques : deux hautbois d'amour et deux hautbois *da caccia* concertent avec l'effectif des cordes et des flûtes. L'idéalisation de la nature rime à présent avec paix, simplicité et pieuse adoration.

La symbolique de la nature

Les *Quatre Saisons* de Vivaldi se situent ainsi à la confluence de deux riches traditions musicales : l'une cherche à figurer les parties de la nature dans la musique, de façon très précise, selon des procédés rhétoriques ; l'autre tend à renvoyer plus lointainement à une conception mythique de la nature, par le biais de l'univers arcadien de la pastorale. Dans les deux cas, la nature imitée n'a rien de réaliste : sa portée est avant tout symbolique.

À cette époque, sa représentation reste en effet subordonnée à un propos philosophique ou moral. Le printemps est ainsi associé à l'amour, l'onde claire à la pureté et la saison froide à la vieillesse. Dans l'*opera seria*, les références à la nature sont circonscrites au périmètre de ce que l'on nomme l'*aria di paragone* (air de comparaison). Codifié par l'académie de l'Arcadie, réunie à Rome à la fin du XVIIe siècle sous la houlette de Christine de Suède, ce type d'air illustre un état psychologique, en le mettant en parallèle avec des images tirées de la nature.

Les livrets de Métastase regorgent de ces arbres arrachés, de ces vents violents, de ces plantes florissantes, de ces mers tour à tour calmes et déchaînées qui permettent de réfléchir à la portée morale des situations dramatiques. Chacune des passions humaines, chacun des conflits dramatiques se voient ainsi rapportés à des éléments naturels. Dans *Il re pastore*, un livret d'*opera seria* de nombreuses fois mis en musique jusqu'à Mozart, les caprices du destin sont par exemple comparés au caractère tour à tour menaçant et bénéfique de la pluie : « Ainsi se répand parfois sur la face du soleil / un nuage / qui lance des éclairs / et menace la terre aride. / Mais quand il a de cette façon / amassé assez d'humidité, / tout se dissout en pluie / qui féconde la terre. »

Si l'*aria di paragone* recourt à la nature à des fins morales, elle permet aux musiciens de créer de véritables tableaux musicaux. D'un côté, les airs bucoliques chantent la symbolique des fleurs, le calme des prairies, le murmure des ruisseaux ; d'un autre, les *arie di tempesta* mettent en relation la violence des passions et celle de la nature. Ces moments paroxystiques favorisent l'épanouissement du *bel canto* et la mise en scène de la virtuosité la plus spectaculaire, dans les opéras de Vivaldi en particulier. Cecilia Bartoli a rendu célèbres des airs de bravoure comme « *Dopo un'orrida procella* » (Après une horrible tempête), comparant les revers de fortune au calme après la tempête dans *Griselda*, ou « *Sventurata navicella* » (La petite nef sur la mer démontée), qui évoque le ballottement des âmes valeureuses dans *Giustino*. Ce répertoire à l'origine dévolu aux castrats a été aussi popularisé par les contre-ténors : toujours chez Vivaldi, Philippe Jaroussky a magnifié « *Fra le procelle del mar turbato* » (Dans les tourmentes de la mer déchaînée), qui évoque l'espoir demeurant chez les âmes les plus désespérées dans *Tito Manlio*, ou encore « *Sovvente il sole* » (Souvent le soleil) qui, dans *Andromeda liberata*, aligne les mouvements de l'âme et du destin sur le cycle de la nature.

Au final, l'effet est toujours identique car « à l'aune des réalités naturelles, le monde des hommes apparaît tout à la fois grandi et relativisé. Grandi, car le mince filet des destinées individuelles est emporté par le puissant courant du cycle naturel. Relativisé, car chaque sentiment, chaque trouble, chaque conflit, [...] peut apparaître comme un événement familier ou sans importance, incapable d'infléchir la course monotone du monde[1] ». La même philosophie

1. Moindrot, p. 99.

Les quatre saisons après Vivaldi

Vivaldi est loin d'avoir épuisé le sujet, qui a par la suite irrigué tous les genres, du vaste oratorio (Haydn, *Les Saisons*) au cycle orchestral (Joachim Raff, *Symphonies* n°s 8 à 11) en passant par les pièces de piano (Tchaïkovski, *Les Saisons*) et le tango (Piazzolla, *Las Cuatro Estaciones Porteñas*). Pour leur part, *Les Quatre Saisons* de Milhaud se présentent comme de petits concertinos (respectivement pour violon, alto, deux pianos, et trombone) et celles de Nicolas Bacri, plus récemment, rejoignent l'esprit du concerto grosso en mettant en valeur le hautbois ; Philip Glass est le dernier en date à avoir livré un concerto pour violon (*The American Four Seasons*, 2009).

La plupart des musiciens ont cependant choisi de disloquer l'effet de cycle. L'été a suscité plusieurs poèmes symphoniques, de Suk (*Conte d'été*) à Honegger (*Pastorale d'été*) en passant par Kodály (*Soir d'été*). L'automne a inspiré à Grieg une ouverture symphonique (*Im Herbst*) et il est le sujet de nombreux lieder (de Schubert à Strauss), mélodies ou chansons (de Fauré à Trenet). Ces œuvres ne cherchent plus à imiter la nature comme s'y employait Vivaldi en son temps : elles en explorent les résonances subjectives sur la sensibilité.

L'hiver est la saison favorite de Debussy (*The snow is dancing*, *Des pas sur la neige*) ou de Reynaldo Hahn (*Hivernale*) ; de Schubert (*Winterreise*) à Tristan Murail (*Winter fragments*) en passant par Tchaïkovski (*Rêves d'hiver*), celle-ci favorise toujours l'expression de l'errance, la raréfaction du matériau, le figement paradoxal de l'écriture. À la statique hivernale s'oppose la dynamique du printemps, la star des saisons musicales, tantôt associée à l'amour, tantôt à l'élan créateur. Sa vitalité intrinsèque a marqué de nombreuses œuvres : elles sont signées Schumann (*1re Symphonie*), Glazounov (*Le Printemps*), Debussy (*Printemps*), Roussel (*Pour une fête de printemps*), Kœchlin (*La Course du printemps*), Stravinsky (*Le Sacre du printemps*), Copland (*Appalachian Spring*), Britten (*Spring Symphony*) ou encore Escaich (*Spring's Dance*).

d'adéquation morale à la nature résonne dans les cantates de Bach : « Aussi vite que s'écoule une onde murmurante, ainsi s'enfuient les jours de notre vie », clame la première aria de la cantate BWV 26 *Ach wie flüchtig, ach wie nichtig* (Ah ! Combien fugitive, combien vaine). « Mon passage en ce monde est semblable à un voyage en mer », récite encore une voix de basse au début de la cantate BWV 56. Inépuisable sujet de réflexion morale que la nature ! Et les saisons ? Elles aussi constituent un élément de comparaison très puissant. Dans un contexte sacré, elles se prêtent à une lecture théologique, à la façon de Marc-Antoine Charpentier dans ses *Quatuor anni tempestates* (1685), quatre motets pour deux voix et continuo sur des textes inspirés du Cantique des cantiques. Et que racontent-elles dans l'univers profane si ce n'est, par excellence, le grand cycle de la vie ? Chez Vivaldi comme plus tard chez Haydn, les *Saisons* invitent l'auditeur à méditer de façon symbolique à la naissance (printemps), à la force de l'âge (été), au déclin (automne) et à la mort (hiver) : elles l'incitent à adopter une philosophie d'harmonie avec le monde et de consentement à la nature.

Jardins

De Rameau à Rousseau

> Ces seigneurs et ces dames parées [...] ne se trouvent à leur aise qu'entre des panneaux sculptés, devant des glaces resplendissantes ; s'ils mettent le pied par terre, c'est sur des allées ratissées ; s'ils souffrent les bois et les eaux, ce sont des eaux lancées en gerbes par des monstres d'airain ; ce sont des bois alignés en charmilles. La nature ne leur plaît que transformée en jardin.
>
> Hippolyte TAINE,
> *La Fontaine et ses Fables* (1853)

Au cœur du XIXe siècle, Taine jette un regard acéré sur la société aristocratique d'Ancien Régime, qui ne conçoit de nature que passée par le filtre de la culture. À côté de l'imaginaire arcadien, le lieu du jardin joue donc un rôle déterminant. Il représente une nature domestiquée par l'homme, en-deçà des espaces agricoles et des terres sauvages. Sa morphologie est très révélatrice : jusqu'au siècle de Louis XIV, il était clos, replié sur lui-même comme le mythique jardin d'Eden. Érigé au rang d'art par André Le Nôtre, il fait place désormais aux lignes géométriques, aux larges perspectives et aux points de fuite, à l'image même du cosmos dont on conçoit depuis peu le caractère infini. Les éléments de la nature ne procurant alors de plaisir qu'en étant maîtrisés et travaillés, le jardin constitue une subtile médiation entre nature et culture ou, pour le dire autrement, une représentation de la nature dans sa vérité : celle d'un ordre perçu par la raison.

Au temps de Couperin et de Rameau, il arrive à la musique de thématiser l'espace du jardin : on songe à la cantate de Nicolas Bernier *Les Jardins de Sceaux*, ou à la *Saillie du jardin*, pour viole, de Marin Marais ; mais elle aussi se veut surtout, comme le jardin, ordre raisonné et représentation intellectualisée de la nature. Comment y parvient-elle ?

Les quatre éléments, du chaos à l'harmonie

Au cœur du règne de Louis XV retentit à l'Académie royale de musique, le 29 février 1748, une curieuse partition de Jean-Philippe Rameau. Ce « ballet héroïque » intitulé *Zaïs* s'ouvre de façon saisissante. En lieu et place du style versaillais attendu en tête d'une ouverture à la française, les auditeurs de l'époque découvrent un exergue incongru. De mystérieux coups de tambour sont suivis d'un simple accord de *ré*. Nouveaux roulements de tambours, déploiement progressif de l'accord parfait : des bribes mélodiques se succèdent à présent selon une logique harmonique totalement décousue. Le tempo s'accélère, le discours surmonte peu à peu ses incohérences pour se polariser sur la tonalité de *ré* majeur, qui lance enfin le mouvement vif. Que se passe-t-il ? La clé est donnée dans la partition originale, surmontée de la mention suivante : « Ouverture, qui peint le débrouillement du Chaos ». À l'époque, l'écoute se trouvait heureusement guidée par l'action scénique : sur cette étrange musique paraît Oromasès, le roi des Génies qui ordonne le réveil des Éléments, puis l'arrivée de l'Aurore.

L'argument mythologique paraît faible au regard de la musique : c'est à une véritable cosmogonie qu'assiste l'auditeur, du chaos initial à la construction d'un ordre harmonieux, en passant par la genèse des quatre éléments. Rameau n'ignore pas que la représentation de ces derniers est une tradition du ballet. Deux décennies plus tôt, les quatre entrées des *Éléments* (Destouches, 1721) s'attachaient successivement à l'Air, à l'Eau, au Feu et à la Terre, en associant à chacun d'eux une intrigue mythologique. Rameau lui-même s'était déjà intéressé à divers cataclysmes naturels : *Les Indes galantes* (1724) avaient mis en scène une violente tempête et une non moins fameuse éruption volcanique. Mais par sa façon de conduire peu à peu le propos de l'informe à la forme, l'ouverture de *Zaïs* fait surtout penser aux *Éléments* de Jean-Féry Rebel.

Cette « symphonie de danse » conçue quelques années auparavant, en 1737, est célèbre par son prologue orchestral, composé a posteriori. Initialement intitulé « Le Chaos » et purement instrumental, celui-ci marqua les esprits. Son premier accord fait entendre simultanément les sept notes de la gamme : un vrai chaos sonore ! Ce prologue est composé de sept sections – comme les sept jours de la Genèse – qui peignent la naissance des éléments, Air, Feu, Eau et Terre mêlés. Comme Rebel s'en est expliqué dans sa préface, chacun d'entre eux est représenté musicalement selon les procédés de la rhétorique imitative. La Terre surgit du registre grave, avec un motif stable et lent ; pour allumer le Feu, les premiers violons se font flammèches incandescentes (gammes fusées, vélocité instrumentale) ; l'Air est représenté par des tenues ou des trilles dans le registre aigu ; des lignes conjointes ondulant aux flûtes et dans les parties intermédiaires suggèrent enfin le mouvement de l'Eau.

Cet incipit des *Éléments* constitue une brillante et audacieuse page imitative, mais il cherche surtout à lier, ainsi que l'explique son auteur, « confusion des éléments et confusion de l'harmonie ». Les dissonances initiales font place aux consonances, et la trajectoire tonale très indécise se stabilise lorsque les éléments se dissocient pour faire place à un ordre musical. Pour Rebel comme pour Rameau, représenter la genèse de la nature revient à mettre en scène la naissance de l'harmonie. Il n'y a là rien d'anodin, dans la mesure où la conception de la musique triomphant à l'époque entend s'enraciner dans la nature même. Or comment se représente-t-on alors cette dernière ?

La machine de l'Univers

En pleine mutation, la notion de nature renvoie depuis peu à l'ensemble des phénomènes qui obéissent à des lois universelles et nécessaires. Comme le signale l'*Encyclopédie* de Diderot et D'Alembert, « *Nature* signifie quelquefois le système du monde, la machine de l'Univers, ou l'assemblage de toutes les choses créées ». Ce vocabulaire mécaniste, qui triomphe à l'époque des Lumières, est le fruit des bouleversements scientifiques des XVIe et XVIIe siècles. La révolution épistémologique est venue de Galilée, à la fin de la Renaissance. L'astronome et mathématicien s'est éloigné de l'aristotélisme qui avait irrigué le Moyen Âge : avec lui, la nature n'était plus conçue comme une force immanente mais comme un ensemble de lois, un système de rapports, une totalité uniforme. Une même physique pouvait désormais réunir la terre et le ciel, placés sur le même niveau ontologique.

Ne s'intéressant plus à la substance des choses mais à leurs relations, Galilée rendait possible la constitution d'une science de la nature et, avec elle, le développement de la technique moderne. À l'image de sa célèbre loi de la pesanteur, énoncée en 1604, la recherche des constantes, des régularités et des permanences permettait de découvrir les ressorts cachés d'une nature désormais conçue comme un grand livre écrit en langage mathématique. Aux scientifiques de le décrypter : tout devenait affaire de formules chiffrées, de lignes, de cercles et de sphères à modéliser.

Les travaux de Galilée furent prolongés par ceux de Kepler puis de Newton. Dans son ouvrage majeur, *Principes mathématiques de la philosophie naturelle* (1687), ce dernier confère à la mécanique un caractère aussi universel que celui qu'Euclide avait donné à la géométrie dans l'Antiquité. Il met définitivement fin à la représentation du cosmos antique en pensant la nature comme un univers ouvert, infini, unifié par l'homogénéité de sa matière (mue par des forces, se déployant dans l'espace et dans le temps) et par l'identité de ses lois (au premier rang desquelles le principe de gravitation). Il achève cette révolution scientifique en postulant que l'ensemble des phénomènes naturels peut s'expliquer de façon purement mécanique.

Le même esprit sous-tend les travaux scientifiques de Descartes, dont le *Traité du monde* (1637) pose lui aussi les bases de la physique moderne, en considérant le monde comme un espace homogène d'essence géométrique. Sa rationalisation peut ainsi permettre à l'homme, ainsi que l'énonce le *Discours de la méthode*, de se rendre « comme maître et possesseur de la nature ». Cette vision du monde n'entre pas directement en conflit avec le christianisme : pour Descartes en effet, c'est Dieu qui a créé les lois de la nature et donné à l'homme le pouvoir de les découvrir. Si le monde est un vaste mécanisme, alors Dieu doit être une sorte de géomètre ou de grand horloger. Cette conception prospérera durant toute la période des Lumières.

Les fondements « naturels » de la musique

Rameau fut déclaré « fils de Descartes » par D'Alembert pour avoir été le plus grand théoricien de son temps. Il tenta en effet de modeler sa pensée de la musique sur la nature même : une nature conçue, à la façon de la science moderne, comme une réalité physique et mécanique. Cherchant à établir le langage musical sur une base universelle, il s'employa à construire une théorie « naturelle » de la musique au fil de quatre grands ouvrages : le *Traité de l'harmonie réduite à ses principes naturels* (1722), *Nouveau système de musique théorique* (1726), *La Génération harmonique* (1737) et *Démonstration du principe de l'harmonie, servant de base à tout l'art musical théorique et pratique* (1750).

Pour ramener l'infinité des phénomènes musicaux à une loi unique, Rameau montre dès son premier traité que les consonances ont leur origine dans le son fondamental : ce dernier contient l'octave, la quinte et la tierce, soit les intervalles constitutifs de l'accord parfait majeur, lui-même conçu comme le fondement de tous les autres accords. La multiplicité des harmonies peut être ainsi rapportée à un principe unique, celui de « basse fondamentale ». Les travaux de Rameau s'enrichissent en 1726 et surtout en 1737 des travaux acoustiques de Joseph Sauveur, qui a découvert la nature vibratoire du son et le phénomène des résonances harmoniques. À partir d'une théorie du corps sonore – tout son émis générant des sons dérivés, dits harmoniques, qui contiennent l'accord parfait – Rameau façonne une théorie des accords puis des modulations, selon un système de relations fondé sur le cycle des quintes. Il pose, ce faisant, les fondements du solfège moderne.

Pensée de la musique et pensée de la nature se trouvent donc parfaitement corrélées : « La musique est une science physico-mathématique, écrit Rameau dans *Génération harmonique*, le son en est l'objet physique, et les rapports trouvés entre les différents sons en sont l'objet mathématique. Sa fin est de plaire, et d'exciter en nous diverses passions. » La musique repose pour lui sur une physique (nature vibratoire du son) et une mathématique (relations d'accords et de modulations) qui, parce que naturelles, sont garantes du plaisir esthétique. « C'est à l'harmonie seulement qu'il appartient de remuer les passions », conclut-il, subordonnant tous les autres paramètres de la musique, y compris la mélodie, à ce principe fondamental.

Une telle position ne manqua pas de cristalliser les polémiques esthétiques, notamment au cours de la fameuse querelle des Bouffons : si Rameau a le sentiment d'avoir mis au jour des principes aussi universels que la loi de gravité, l'un des combats de Rousseau consistera à réfuter cette primauté « naturelle » de l'harmonie. Mais on comprend mieux, d'ores et déjà, pourquoi les cosmogenèses ouvrant *Zaïs* et *Les Éléments* associent surgissement de la nature et stabilisation progressive de l'harmonie : puisque cette dernière est conçue comme fondement « naturel » de la musique, peindre la genèse de la nature revient logiquement à représenter la naissance de l'harmonie.

Tourbillons

Il n'est pas sûr que la pratique musicale de cette époque reflète uniformément la théorie ramiste. Toujours est-il que la nature est un sujet très prisé des compositeurs français, dans tous les genres. Même l'orgue se dote alors d'un jeu de tonnerre, utilisé par Corrette et Balbastre à la fin du XVIIIe siècle ! Les évocations de la nature sont reines dans le répertoire pour clavecin, à côté des danses, des portraits de caractères ou des tombeaux (voir page suivante). Certains titres sont explicites, d'autres intriguent davantage. Que penser, par exemple, de ces « tourbillons » maintes fois mis en musique ? Ceux de Dandrieu et de Rameau se font écho la même année 1724 ; ils répondent, sur un mode plus contenu, au *Tourbillon* italianisant et virtuose publié par Marin Marais dans son quatrième livre de pièces de violes.

La nature dans les pièces françaises de clavecin du XVIIIe siècle

L'école française s'est illustrée dans le genre de la pièce à titre : la nature y est très présente. Les titres reflètent souvent le caractère descriptif de la musique, mais ils visent aussi à orienter l'écoute et à aiguiser la curiosité de l'auditeur : le plaisir passe par l'intellect.

D'AGINCOURT : La Fauvette, Le Val joyeux, Le Moulin à vent, Les Violettes fleuries, Les Tourterelles (*Livre de clavecin*, 1733)
BOISMORTIER : La Puce (*Quatre suites de pièces pour clavecin*, 1736)
CORRETTE : Les Giboulées de mars, Les Étoiles, Le Coucou (*Premier Livre de pièces pour clavecin*, 1734)
COUPERIN : Les Silvains, Les Abeilles, Les Papillons, Les Vendangeuses (*Premier Livre*, 1713) ; Les Moissonneurs, Le Gazouillement, Les Bergeries, Le Moucheron (*Deuxième Livre*, 1717) ; Les Lis naissans, Les Rozeaux, Le Rossignol-en-amour, La Linote-éfarouchée, Les Fauvétes plaintives, Le Rossignol-vainqueur, Les Vergers fleüris, Les Petits Moulins à vent (*Troisième Livre*, 1722) ; Le Point du jour, L'Anguille, Les Gondoles de Dèlos (*Quatrième Livre*, 1730)
DANDRIEU : Les Tourbillons, Le Concert des oiseaux, Les Cascades, Les Zéphirs, Les Papillons, La Chasse (*Premier livre*, 1724) ; La Pastorale (*Deuxième Livre*, 1728) ; La Champêtre (*Troisième Livre*, 1734)
DAQUIN : Les Vents en courroux, Les Bergères, L'Hirondelle, Le Coucou, Les Plaisirs de la chasse (*Pièces de clavecin*, 1735)
RAMEAU : Le Rappel des oiseaux, Les Tourbillons (*Pièces de clavecin*, 1724) ; La Poule (*Nouvelles suites de clavecin*, 1727)

Les Français peinent alors à goûter une musique qui ne s'attache point à un propos précis, ainsi que le révèle la fameuse apostrophe de Fontenelle : « Sonate, que me veux-tu ? » Dans ces conditions, les titres constituent des filtres sémantiques par lesquels on entend plus aisément la musique. S'ils désignent souvent un procédé mimétique, rien ne dit pourtant qu'ils soient choisis avant l'écriture de la musique. Et s'ils ne venaient qu'après coup, comme une simple façon de faciliter l'écoute ? Comme les futurs *Préludes* pour piano de Debussy, dont les « titres » imagés n'apparaîtront, entre parenthèses, qu'à la fin des pièces, ils constitueraient en ce cas un simple accès possible à l'œuvre, une manière de stimuler le plaisir esthétique en reliant sensations auditives et mise en action des facultés de l'esprit.

La nature des « tourbillons » instrumentaux de Rameau, Dandrieu et Marais donne justement à penser. S'agit-il de jeux d'eau, ou de courants d'air ? Rameau, pour sa part, lève partiellement le mystère dans une lettre à Houdar de la Motte : il y évoque les « tourbillons de poussière agités par les grands vents ». Nous voici donc revenus à la physique des éléments. Il est tentant de relier ces pièces françaises à la théorie des tourbillons développée par Descartes, quelques décennies plus tôt : l'univers serait composé d'un ensemble de tourbillons (ou vortex) imbriqués, au centre desquels se trouvent les astres. Un même mécanisme régirait le vortex solaire (qui entraîne planètes et comètes), le vortex terrestre (qui entraîne les satellites), et l'ensemble des tourbillons à plus petite échelle. Cette théorie du mouvement universel, par la suite contestée par Newton, a pu avoir un écho sur un musicien cultivé comme Rameau.

Nos imaginations modernes peuvent trouver ces *Tourbillons* bien sages. Les juger ainsi serait pourtant méconnaître l'esthétique rationaliste qui triomphe au XVIIIe siècle : celle-ci, Catherine Kintzler l'a bien montré, s'intéresse non à la réalité mais à la vérité des choses, et fait paradoxalement de l'artifice le révélateur de la nature. On pourrait résumer cette pensée de la manière suivante : la vraie nature étant constituée de relations mathématiques, au temps des Lumières, elle n'est donc point apparente de façon immédiate. Par conséquent, le rôle de l'art – en tant qu'imitation de la nature – n'est pas de représenter le réel (souvent laid) mais le vrai, duquel dépend le beau. Voilà comment, à cette époque, « il n'est point de serpent ni de monstre odieux / qui, par l'art imité, ne puisse plaire aux yeux » (Boileau, *Art poétique*). Aussi la musique, comme la poésie contemporaine, s'emploie-t-elle à représenter la nature dans sa vérité abstraite.

Il était donc impossible, en l'occurrence, que les *Tourbillons* de Rameau, Dandrieu ou Marais fussent rendus par de chaotiques et bruyantes tornades sonores : la musique aurait échoué à représenter le principe de mouvement universel. Même *Les Vents en courroux* de Daquin, qui balaient par rafales virtuoses le clavier d'un clavecin, font l'objet d'une rigoureuse esthétisation. À cette époque, on aime les arbres à condition qu'ils soient taillés : de même, les éléments naturels doivent toujours être émondés pour devenir objets de spectacle.

NATURE, ART, ARTIFICE

C'est à la même esthétique qu'obéit le jardin français. En soumettant la nature à la géométrie, celui-ci fait apparaître son essence profonde. Armés de graphomètres, de rapporteurs et de niveaux, Le Nôtre et ses artisans façonnent alignements, intersections, figures et points de vue qui structurent l'espace selon des principes universels : art du jardin, cartographie et astronomie reposent sur les mêmes bases. Aussi artificiel soit-il, puisque tout y est taillé, calculé, forcé, le jardin est paradoxalement plus vrai que la nature sauvage : il « montre aux yeux du corps ce que voient les yeux de la raison, à savoir que la nature des classiques est pensée comme un ensemble de proportions et de mécanismes intelligibles[1] ».

Point d'eau vive dans le parc de Versailles : on n'y trouve que des eaux immobiles – celles du Grand Canal – ou des eaux crachées par les jets somptueux des fontaines, ainsi reliées à la mécanique et à la géométrie universelle. Tous les éléments de la nature sont domptés et rapportés à des principes rationnels. Les musiciens n'agissent pas autrement en leur jardin : Rameau ne cherche pas à reproduire de façon exacte les sons réels, même lorsqu'il écrit *Le Rappel*

1. Kintzler [1], p. 45.

des oiseaux ou bien *La Poule*. En l'occurrence, le « co-co-co-co-co-co-co-dai » stylisé dès l'incipit (l'onomatopée accompagne les premières notes de la pièce) est rapporté à la régularité d'une rythmique obstinée et, bien entendu, à celle d'une pensée harmonique. Nul n'a pourtant jamais entendu une poule caqueter en *sol* mineur ! On l'a compris, pour un musicien, imiter la nature revient, à la manière du jardin français, à la façonner, à la transformer en spectacle et – comble du raffinement – à « cacher l'art par l'art même » (Rameau).

On songe à une fameuse pensée de Fontenelle, lui-même marqué par Descartes, dans ses *Entretiens sur la pluralité des mondes* (1686) : « Je me figure toujours que la nature est un grand spectacle, écrit-il, qui ressemble à celui de l'opéra. Du lieu où vous êtes à l'opéra, vous ne voyez pas le théâtre tout à fait comme il est : on a disposé les décorations et les machines pour faire de loin un effet agréable, et on cache à votre vue ces roues et ces contrepoids qui font tous les mouvements. Aussi ne vous embarrassez-vous guère de deviner comment tout cela se joue. [...] Qui verrait la nature telle qu'elle est ne verrait que le derrière du théâtre de l'opéra. »

On connaît l'existence du mécanisme, mais celui-ci a vocation à rester caché. Si, pour cette raison, la nature est un opéra, y a-t-il meilleur genre que l'opéra pour représenter la nature ? Conçue comme « théâtre des enchantements », la tragédie en musique française est à cette époque le règne des artifices. Sa scénographie repose sur une savante machinerie qui lui permet de faire surgir les démons souterrains, descendre des cintres les dieux de l'Olympe, s'effondrer les palais et se déchaîner les flots. Or c'est bien « parce que l'opéra est machine qu'il fonctionne comme la nature[1] ». Fondée sur les lois de l'harmonie et sur la mécanique tonale, la musique entend elle aussi concourir à ce vaste jeu d'illusion. C'est ce que défend Rameau dans la lettre à Houdar de la Motte citée ci-dessous : « il serait à souhaiter qu'il se trouvât pour le théâtre un musicien qui étudiât la nature avant de la peindre, et qui, par sa science, sût faire le choix des couleurs et des nuances dont son esprit et son goût lui auraient fait sentir le rapport avec les expressions nécessaires ».

Alors en quête d'un librettiste, Rameau valorise ici sa connaissance des passions humaines, mais aussi celle de tous les phénomènes naturels, indispensable afin de briller à l'opéra. Car dès la fin du XVIIe siècle, la tragédie en musique a prisé l'évocation esthétisée des bruits de la nature. Frémissement des chênes sacrés de Dodone (*Issé* de Destouches), tremblements de terre (*Sémélé* de Marin Marais), tempêtes tumultueuses (*Thétis et Pelée* de Colasse, *Alcyone* de Marin Marais, *Idoménée* de Campra) : autant de tableaux qui font admettre avec D'Alembert que « les sons peuvent peindre tout ce qui est capable de faire du bruit : le tonnerre, les vents, les mugissements de la mer, le bruit des armes, le chant mélodieux des oiseaux, les cris des animaux, la chute d'une

1. Kintzler [2], p. 156.

cascade[1] ». Le genre de la tragédie s'est surtout intéressé, pour leur effet dramatique, aux troubles de la nature, qu'ils soient d'ordre météorologique (agitation des vents, frémissement des flots, tempêtes et inondations) ou d'ordre tellurique (effondrements de rochers, tremblements de terre, éruptions volcaniques, bruits souterrains).

Ces divers cataclysmes s'insèrent généralement dans de vastes séquences poético-musicales qui mêlent grands chœurs, récits et symphonies descriptives. Celles-ci ne relèvent pas du simple bruitage, même si l'on utilise ponctuellement machines à vent et tôles ondulées pour figurer le tonnerre. Elles constituent de somptueux tableaux esthétisant la nature. La spectaculaire « tempête » d'*Alcyone* fait figure de modèle : au-dessus du continuo, les basses de violons effectuent un perpétuel trémolo que Marin Marais fit doubler par des tambours peu tendus, afin de créer un effet lugubre de roulement continu ; quant aux violons, ils strient l'espace sonore de leurs gammes-fusées et noient l'auditeur dans un flot de triples croches. Sur la partition gravée, celles-ci ondulent comme les vagues d'une mer menaçante.

Cette brève symphonie descriptive contribua à forger le stéréotype de la tempête dans la tragédie lyrique : valeurs brèves et répétées, animation du discours, densification de l'écriture, opposition de dynamiques, virtuosité instrumentale. Rameau

1. *Réflexions sur la musique en général et sur la musique française en particulier*, s. l., 1764, p. 9.

magnifia cet héritage dans ses nombreuses tempêtes orchestrales. Au quatrième acte de sa première tragédie, *Hippolyte et Aricie*, l'irruption du monstre marin s'accompagne de « bruits de mer et vens » ; elle donne lieu à une scène chorale frénétique accompagnée d'audacieuses modulations. À l'autre bout de sa carrière, *Les Boréades* mettent en scène un dieu du vent et ses descendants. Quel meilleur sujet pour peindre les phénomènes atmosphériques ? Ceux-ci culminent dans un Entracte intitulé « Suite des vents » et dans un gigantesque « Orage, tonnerre et tremblement de terre », clé de voûte du drame.

Du jardin français au jardin anglais

Les Boréades attendirent la fin du XXe siècle pour être créées, mais l'écoute d'autres puissantes symphonies descriptives de Rameau marqua Rousseau. Au point que dès l'article OPÉRA de son *Dictionnaire de musique*, celui-ci consacre la supériorité du musicien sur le peintre pour représenter une nature non point froide, mais animée : « Non seulement il agitera la mer à son gré, excitera les flammes d'un incendie, fera couler les ruisseaux, tomber la pluie & grossir les torrents ; mais il augmentera l'horreur d'un désert affreux, rembrunira les murs d'une prison souterraine, calmera l'orage, rendra l'air tranquille, le ciel serein, & répandra, de l'Orchestre, une fraîcheur nouvelle sur les bocages. »

Rousseau fut pourtant l'homme qui ruina l'esthétique de la tragédie lyrique, comme celle du jardin français. Trop artificielles. Dans *La Nouvelle Héloïse*, Saint-Preux brosse un portrait au vitriol de la musique à l'Opéra de Paris – « un charivari sans fin d'instruments sans mélodie » ; il fustige parallèlement « ces architectes que l'on paye fort cher pour gâter la nature ». Son amante Julie cultive un jardin en tout point opposé au style versaillais : loin du carcan géométrique, place au plein épanouissement de la végétation, rendue à sa luxuriance et à sa liberté.

La mutation est spectaculaire : autrefois pensée par Descartes comme un assemblage de structures mécanisées, aussi rationnelles que le sont les mathématiques, la nature est désormais conçue par Rousseau comme un espace vierge, antérieur à la culture. Associée au mythe du bon sauvage, elle s'incarne chez lui dans le fantasme d'une primitivité originelle que l'histoire de l'humanité aurait progressivement corrompue. « À la complexité des relations, explique Catherine Kintzler, Rousseau oppose la simplicité et l'immédiateté des sources originaires : derrière le rideau [de la nature], ce ne sont pas des pignons et des poulies qu'on découvre, ce sont des significations et des émotions pures, telles qu'elles circulaient entre les hommes dans la simplicité des origines[1]. » Or le langage des origines est la musique, pour Rousseau, en ce qu'elle serait liée à l'effusion des cœurs.

1. Kintzler [1], p. 130.

L'art doit plus que jamais se fonder sur la nature, mais celle-ci a changé de visage. Physique et rationnelle chez Descartes, elle est devenue réalité morale et émotionnelle avec Rousseau. Autrefois incarnée dans les lois de l'harmonie, elle se révèle désormais par le pouvoir de la mélodie. Perçue par le corps et l'esprit au temps de Rameau, elle s'écoute avec le cœur au temps de Gluck. À la façon de Sophie Arnould, qui entendit en ce dernier « le musicien de l'âme ». Féru de Rousseau, Gluck s'en montra débiteur lorsqu'il affirma, dans la préface d'*Alceste*, avoir posé « dans la nature » tous les fondements de son opéra. L'abbé Arnaud décréta de son côté que la musique d'*Alceste* vivrait « aussi longtemps qu'il y [aurait] des hommes sensibles, parce qu'elle [était] l'expression des sentiments que la nature a placés dans les cœurs de tous les hommes ». L'imitation de la nature, on le voit, est en passe d'être supplantée par l'expression des sentiments.

Avec le primat qu'elle donne à la mélodie, à la recherche d'une apparente simplicité, au cours plus spontané du discours, la nouvelle esthétique musicale remise peu à peu le modèle du jardin à la française. Le classicisme international culminant de Gluck à Mozart porte certes à son apogée le modèle tonal codifié par Rameau, notamment dans le répertoire des sonates et des symphonies ; mais au même moment, certaines œuvres annonçant l'esthétique romantique se pensent sur un modèle radicalement différent : celui du jardin anglais.

Très en vogue dans toute l'Europe à partir des années 1770, celui-ci affecte le « naturel » en façonnant des allées sinueuses, en ménageant des points de vue pittoresques au détour de chemins contournés, au gré des irrégularités du terrain ; parsemé de cascades, de grottes et de ruines factices, il est ouvert sur les campagnes environnantes au point d'effacer, avec la main du jardinier, les limites entre nature et culture. En France, le marquis de Girardin aménage un célèbre jardin anglais dans le parc d'Ermenonville, qui fut aussi la dernière demeure de Rousseau. Son traité *De la composition des paysages* (1777) assassine l'art de Le Nôtre, qui aurait achevé de « massacrer la Nature en assujettissant tout au compas de l'architecte ». Loin des symétries d'antan, « ce n'est ni en Architecte, ni en Jardinier, assure-t-il, c'est en Poète et en Peintre, qu'il faut composer les paysages ».

Le jardin pittoresque (de *pittore*, à la manière des peintres) regorge d'artifices lui aussi mais, habilement masqués, ceux-ci permettent de mettre en scène le paysage, dans sa totalité comme dans ses discontinuités, tout en sollicitant la sensibilité du promeneur. Or il est à l'époque un genre qui invite l'auditeur à écouter la musique comme on chemine dans un jardin à l'anglaise : celui de la fantaisie. « On peut dire qu'une bonne fantaisie ressemble à un beau jardin anglais, explique Carl Czerny en 1829, où tout paraît jeté au hasard mais où un plan sévère et un sens profond se cachent sous la variété la plus séduisante[1]. » Peut-être songe-t-il à la *Fantaisie* pour piano de Mozart K. 475 en *ut* mineur, archétypique de cette nouvelle sensibilité qui conduit de Carl Philipp Emanuel Bach à Schubert et, en France, d'Hélène de Montgeroult à Chopin. Si la couleur sombre et dramatique interpelle d'emblée, c'est l'étrange conduite du discours qui frappe ensuite : incertitude harmonique plongeant l'auditeur dans un sentiment d'errance, effets d'incohérence apparente, cheminements par digressions, articulations formelles masquées pour mieux surprendre l'auditeur... Tout concourt à donner l'impression d'une improvisation notée.

Nulle référence à la nature, en l'occurrence, mais un parcours-fantaisie aussi capricieux que l'agencement d'un jardin anglais, une suite de surprises mettant en éveil la sensibilité comme l'imagination. Un peu à la façon des trios op. 70 de Beethoven, également entendus par Hoffmann comme de fascinants jardins paysagers faits de « sinuosités » et d' « enchevêtrements » : à leur écoute, l'auteur des fameux contes se compare à « un homme qui se promène à travers les labyrinthes treillissés d'arbres rares, de plantes et de fleurs merveilleuses d'un parc fantastique, et qui s'enfonce toujours plus profondément[2] ». La page du cartésianisme, on l'a compris, est définitivement tournée.

1. *L'Art d'improviser mis à la portée des pianistes*, Paris, Schlesinger, p. 1.
2. Cité par Bartoli et Roudet, p. 85.

Orages

Autour de la *Symphonie pastorale* de Beethoven

« Levez-vous vite, orages désirés qui devez emporter René dans les espaces d'une autre vie ! » Ainsi disant, je marchais à grands pas, le visage enflammé, ne sentant ni pluie, ni frimas, enchanté, tourmenté et comme possédé par le démon de mon cœur.
CHATEAUBRIAND, *René* (1802)

Les tableaux de la nature déchaînée se multiplient au passage du siècle : la nouvelle sensibilité rousseauiste a fécondé en Allemagne le mouvement du *Sturm und Drang* (« Tempête et passion »). Son représentant le plus célèbre est le jeune Goethe, dont le tumultueux roman des *Souffrances du jeune Werther* a déclenché une vague de suicides dans l'Europe entière. Quelques années plus tard, les orages invoqués par René, le héros de Chateaubriand, renvoient à une subjectivité en proie au « vague des passions ». Ils répondent aussi aux affres d'une période historiquement chaotique.

Beethoven est nourri de Goethe et encore agité par les idéaux révolutionnaires lorsqu'il propose aux

Viennois, le 22 décembre 1808, un concert sans précédent. Le Theater An der Wien accueille ce soir-là une incroyable gerbe de créations : *Quatrième Concerto* pour piano, *Fantaisie* op. 80 pour piano, chœur et orchestre, *Cinquième* et *Sixième Symphonies* ! Proposée en ouverture du concert, cette dernière est présentée sur le programme comme « Symphonie pastorale, ou souvenir de la vie à la campagne (plus expression du sentiment que peinture) ».

L'allegro initial évoque les joies du monde rural ; l'andante campe une scène au bord d'un ruisseau, et une danse de paysans fait office de scherzo ; mais au lieu d'accéder directement au final, Beethoven ménage un de ces coups de théâtre dont il a le secret : les réjouissances rustiques s'interrompent pour laisser place à l'un des orages les plus dantesques de toute l'histoire de la musique. Nous avons déjà entendu des tempêtes souffler à travers tout le répertoire baroque : que se passe-t-il à présent ?

Au contact de la nature

La *Pastorale* peut certes s'entendre comme une sublimation de l'esthétique des Lumières. La nature y garde un visage idyllique, certes moins arcadien que celui que dépeint Haydn l'année suivante dans son oratorio *Les Saisons* ; avec ses grands chœurs de la chasse ou de l'orage, ce vaste oratorio sera autant héritier de la tradition baroque qu'il fraiera la voie aux romantiques. Dans la *Pastorale*, Beethoven paie lui aussi son tribut à l'ancienne rhétorique imitative : fameuse est la coda du deuxième mouvement, qui laisse place à un bucolique concert d'oiseaux. La flûte, le hautbois et la clarinette y incarnent le rossignol, la caille et le coucou. Pourtant, cette symphonie témoigne d'une évolution de la sensibilité. Les auditeurs de la *Pastorale* ne s'y trompèrent point, Berlioz en tête : « L'auteur de *Fidelio* et de la *Symphonie héroïque* veut peindre le calme de la campagne, les douces mœurs des bergers. Mais entendons-nous : il ne s'agit pas des bergers roses-verts et enrubannés de M. de Florian, encore moins de ceux de M. Lebrun, auteur du *Rossignol*, ou de ceux de J.-J. Rousseau, auteur du *Devin du village*. C'est de la nature vraie qu'il s'agit ici. »

La « nature vraie » ! Chaque génération s'en revendique, de façon toujours différente. Berlioz n'a pourtant pas tort. La *6e Symphonie* se démarque bel et bien des anciennes pastorales : Beethoven y recherche un contact plus direct avec la nature. Le titre du premier mouvement – Éveil d'impressions agréables en arrivant à la campagne – constitue à lui seul tout un programme. Point d'utopie bucolique, mais un lieu qu'il semble possible de gagner, grâce à une démarche active : celle qui consiste à fuir les villes pour les champs. La *Pastorale* s'inscrit dans le sillage de toute une littérature fondée sur une critique acerbe de l'univers urbain, lieu de corruption et d'artifice, dont les héros solitaires s'échappent pour gagner le refuge de contrées sauvages. Elle s'ouvre dans l'esprit très rousseauiste d'un retour à la nature : lieu préservé des dégâts de la civilisation, d'où peut naître l'espoir d'une régénérescence. Cette conception irrigue bien des œuvres de cette époque, à l'image du délicieux singspiel de Schubert *Alfonso et Estrella*, reposant sur la féconde opposition entre la ville et la campagne.

En l'occurrence, on le sait, Beethoven aime les longues promenades en plein air. En été, il fuit le centre de Vienne. Il passe la plupart de son temps dans les environs, à Heiligenstadt, Hetzendorf ou Döbling. « Que vous êtes heureuse d'avoir pu si tôt partir pour la campagne, écrit-il en mai 1810 à Therese Malfatti. Ce n'est que le 8 que je pourrai jouir de cette félicité. [...] Quel plaisir alors de pouvoir errer dans les bois, les forêts, parmi les arbres, les herbes, les rochers. Personne ne saurait aimer la campagne comme moi. Les forêts, les arbres, les rochers nous rendent en effet l'écho désiré. » Beethoven cultive son image de « promeneur solitaire ». Il trouve loin de la foule de quoi assouvir sa misanthropie, mais aussi sa ferveur religieuse : car il reconnaît la main divine dans les prairies, les bois et les ruisseaux qu'il contemple au cours de ses pérégrinations.

Longtemps après la mort de Beethoven, Anton Schindler raconte une promenade en compagnie du maître sourd, un certain jour d'avril 1823 : « Nous traversâmes la charmante vallée, écrit-il, entre Heiligenstadt et ce dernier village [Grinzing] ; nous franchîmes un ruisseau limpide descendant d'une montagne voisine, et au bord duquel un rideau d'ormes encadrait le paysage. Beethoven s'arrêta plusieurs fois, promena ses regards enchantés et respira l'air embaumé de cette délicieuse vallée. Puis s'asseyant près d'un ormeau, il me demanda si, parmi les chants d'oiseaux, j'entendais celui du loriot ! Comme le silence absolu régnait, dans ce moment, autour de nous, il dit que la scène du torrent fut écrite dans cet endroit, et que les loriots, les cailles les rossignols, ainsi que les coucous, étaient ses collaborateurs ! » L'anecdote, apocryphe, est très douteuse. Elle porte de surcroît préjudice à la *Pastorale* en la réduisant à sa dimension la plus éphémère et la plus triviale : le pittoresque. Qu'importe, elle forge le mythe d'un musicien trouvant l'inspiration au cœur de la nature. Et les mythes possèdent souvent un fond de vérité.

La naturalisation des cataclysmes

Beethoven eut sans doute l'occasion d'éprouver la violence des phénomènes naturels. Quoi qu'il en soit, l'orage de la *Pastorale* possède une « naturalité » que n'avaient pas les anciennes tempêtes. Les *Quatre Saisons* peignaient l'archétype d'un orage estival, au cœur d'une nature discrètement mythologique ; dans les genres d'église, le déluge était toujours un châtiment divin (Falvetti, *Il diluvio universale*) et dans l'opéra baroque, les tempêtes étaient provoquées par la colère des dieux. Dans l'*Alcyone* de Marin Marais, l'artifice était porté à son comble puisque la tempête y était même fantasmagorique : Alcyone était victime de la haine de Junon, qui envoyait à la jeune femme endormie un songe funeste représentant le naufrage et la mort de son époux Ceix. Les tempêtes d'*Iphigénie en Tauride*, chez Gluck, ou d'*Idoménée*, chez Mozart, étaient encore d'origine surnaturelle : toutes pouvaient ainsi être riches en maléfices et en monstruosités, ce dont se délectaient la tragédie lyrique et l'*opera seria*.

Seul le tremblement de terre représenté dans *Les Indes galantes* de Rameau avait fait exception : celui-ci était dû non pas aux dieux, mais à la réaction chimique provoquée par une roche jetée dans la fournaise d'un volcan ! Cette approche quasi scientifique révélait l'importance grandissante des sciences expérimentales, en plein essor sous les Lumières, et celle d'un intérêt nouveau pour les catastrophes naturelles. Un événement comme le violent tremblement de terre de Lisbonne, en 1755, eut de profondes conséquences sur l'histoire de la pensée européenne. Progressivement la catastrophe n'était plus perçue comme châtiment divin, mais comme désastre naturel. À l'époque de Beethoven, la représentation artistique des tempêtes vise toujours à conjurer les peurs, mais celles-ci intéressent en elles-mêmes, en tant que manifestations physiques.

Privées de toute référence surnaturelle, elles jouent désormais à l'opéra un rôle dramatique autonome : elles constituent l'archétype de l'événement spectaculaire, très prisé dans le demi-siècle courant des années 1780 aux années 1830. Chez Rossini, des tempêtes retentissent de *La pietra del paragone* à *Guillaume Tell* et une météorite traverse même le ciel dans le premier *finale* de *La donna del lago*. En France, la tempête peut déferler dès l'ouverture, furieuse dans l'ossianique *Uthal* (Méhul), mais le cataclysme parachève souvent l'action, comme dans *La Muette de Portici* (Auber) qui culmine avec une impressionnante éruption du Vésuve. Certains sujets sont à l'évidence choisis pour leur potentiel de catastrophe. *Éliza ou le voyage aux glaciers du mont Saint-Bernard* (Cherubini) s'achève ainsi par une terrible avalanche. Quant à l'action de l'éphémère *Nathalie* (Reicha), elle est située sur les rives du lac Baïkal, connu pour ses brusques et dangereuses tempêtes ; mais l'opéra chuta en raison du dysfonctionnement des machineries à débordement d'eau, indispensables à la représentation des spectaculaires inondations exigées dans le deuxième acte !

Le goût pour ces sujets extrêmes montre que les anciennes représentations du monde deviennent peu à peu caduques. La nature n'est plus ce grand livre qu'il s'agirait de déchiffrer rationnellement, dans une relation de pure extériorité. L'homme semble soudain bien petit face à la toute-puissance des éléments, dont les manifestations sont parfois très violentes. Ses efforts pour les contenir paraissent dérisoires. Dans *Les Affinités électives*, le célèbre roman de Goethe, les personnages ont beau modeler le paysage de leur domaine rural, planter des arbres, araser des terrains, construire des digues, ils échouent à dompter la nature dans ce qu'elle a d'irrationnel, d'imprévisible ou de dangereux. Les chaotiques intempéries finissent toujours par triompher : la nature est traversée par des forces – physiques, telluriques, magnétiques – face auxquelles il semble impossible de lutter. De la même façon, il est digne mais vain de lutter contre les affinités électives, à la fois processus chimiques et élans passionnels qui font tout voler en éclats, convenances sociales et digues morales. Or l'orage de la *Pastorale* est quasi contemporain de ces tempêtes goethéennes.

L'ORAGE INTÉRIEUR

Il commence par gronder au loin, sourdement (trémolo de *ré* bémol aux contrebasses) ; il éclate bientôt en *fa* mineur sur un tutti de l'orchestre, *fortissimo*. La saturation de l'espace sonore semble décuplée par le roulement des timbales et le renfort des trombones, qui font ici leur première apparition dans la *Pastorale*. Ils seront bientôt rejoints par le piccolo, qui zébrera le ciel de ses stridences. Si Beethoven confère à son orage toute la puissance de l'orchestre moderne – sans précédent – il s'inscrit cependant dans une tradition symphonique très caractéristique du *Sturm und Drang*. Les orages sont alors très prisés pour mettre en valeur les nouvelles possibilités techniques des instruments :

Daniel Steibelt utilise les pédales diverses du pianoforte pour accentuer, par la résonance acoustique, les effets de l'orage qui s'abat sur le « rondo pastoral », dernier mouvement de son *3e Concerto pour piano*. John Field, lui, introduit un deuxième clavier dans l'orchestre dans son *5e Concerto pour piano « L'incendie par l'orage »*.

Beethoven n'est pas non plus le premier à proposer une « symphonie pastorale » : plus de soixante furent écrites à l'époque, sous la plume de divers compositeurs aujourd'hui oubliés. Rares sont celles, en revanche, qui insèrent un épisode tempétueux au cœur du tableau rustique. C'est le cas de deux symphonies que connut peut-être Beethoven : celles de Stamitz et de Knecht (cf. page suivante), lequel fut aussi l'auteur d'un « tableau musical pour orgue » assez analogue, intitulé *Die durch ein Donnerwetter unterbrochne Hirtenwonne* (Le bonheur pastoral interrompu par un orage). *Le Portrait musical de la Nature* de Knecht s'inscrivait alors dans la veine contemporaine des symphonies « caractéristiques ». Très prisées, celles-ci se référaient à un sujet extérieur et arboraient parfois un programme détaillé.

Symphonies pastorales au temps de Beethoven

Carl STAMITZ : *Le Jour variable* (1772)

1. Le Beau Matin. Pastorale (*Andante moderato*)
2. La Tempête (*Allegro con spirito*)
3. La Nuit obscure (*Andante moderato*)
4. La Chasse (*Moderato un poco allegro – Allegro vivace – Moderato – Allegro vivace – Andante moderato – Moderato – Allegretto – Presto*)

Justin Henri KNECHT : *Le Portrait musical de la Nature* (1784)

1. Une belle contrée où le soleil luit, les doux Zéphirs voltigent, les ruisseaux traversent le vallon, les oiseaux gazouillent, un torrent tombe du haut en murmurant, le berger siffle, les moutons sautent et la bergère fait entendre sa douce voix. (*Allegretto – Andante pastorale – Allegretto – Villanella grazioso, un poco adagio – Allegretto*)
2. Le ciel commence à devenir soudain sombre, tout le voisinage a de la peine [à] respirer et s'effraye, les nuages noirs montent, les vents se mettent à faire un bruit, le tonnerre gronde de loin et l'orage approche à pas lents. (*Tempo medemo*)
3. L'orage accompagné des vents murmurants et des pluies battantes gronde avec toute la force, les sommets des arbres font un murmure et le torrent roule ses eaux avec un bruit épouvantable. (*Allegro molto*)
4. L'orage s'apaise peu à peu, les nuages se dissipent et le ciel devient clair. (*Tempo medemo*)
5. La nature transportée de joie élève sa voix vers le ciel et rend au créateur les plus vives grâces par des chants doux *Allegro con brio – Andantino*)

et agréables. (*L'inno [Hymne] con variazioni. Andantino – Coro*

Ludwig van BEETHOVEN :
***Symphonie pastorale* (1808)**

1. Éveil d'impressions agréables en arrivant à la campagne (*Allegro, ma non troppo*)
2. Scène au bord du ruisseau (*Andante con moto*)
3. Joyeuse assemblée de paysans (*Allegro*)
4. Tonnerre – Orage (*Allegro*)
5. Chant pastoral. Sentiments joyeux et reconnaissants après l'orage (*Allegretto*)

Tel n'est pas le projet de Beethoven : la *Pastorale* diffère de la symphonie de Knecht par son argument plus laconique, mais aussi par sa structure d'ensemble, plus proche de celle de la symphonie classique : seul l'orage s'ajoute à l'ordre traditionnel des mouvements. Autre indice : dans la *Pastorale*, les épisodes imitatifs restent limités. La véritable intention de Beethoven n'est donc pas descriptive. *Mehr Ausdruck der Empfindung als Malerei*, ne cesse-t-il de répéter : plus expression du sentiment que peinture. Sur ses esquisses, Beethoven mentionne bien l'éclair (*Blitz*), le tonnerre (*Donner*), la pluie (*Regen*), mais ses carnets sont formels : « Les titres explicatifs sont superflus, assure-t-il ; même celui qui n'a qu'une idée vague de la vie à la campagne comprendra aisément le dessein de l'auteur. La description est inutile ; s'attacher plutôt à l'expression du sentiment qu'à la peinture musicale. » Et encore : « La Symphonie Pastorale n'est pas un tableau ; on y trouve exprimées, en nuances particulières, les impressions que l'homme goûte à la campagne. » On ne peut revendiquer plus explicitement le processus de subjectivation. Dans l'héritage de la pensée de Rousseau, Beethoven « ne représente pas directement la chose », mais « réveille dans notre âme le même sentiment qu'on éprouve en la voyant »[1].

L'orage est donc autant intérieur qu'extérieur. Comme chez Goethe, comme dans la philosophie allemande de cette période, il n'existe aucune solution de continuité entre l'homme et la nature. L'orage est devenu « naturel » mais, l'homme étant en communion directe avec les éléments, ceux-ci deviennent le réceptacle de toutes les projections psychologiques. Aussi l'orage peut-il être, de façon très vague, l'image d'un cœur tourmenté, d'un homme luttant avec le destin, d'une épreuve à traverser : *Durch Leiden, Freude* – par les souffrances, la joie.

Un dernier point différencie Knecht et Beethoven. Une fois calmé, l'orage du premier laisse place à des réminiscences thématiques des mouvements précédents : l'état antérieur semble retrouvé, dans une perspective cyclique. Rien de tout cela chez Beethoven : après le déchaînement des éléments vient aussitôt le final hymnique et le chœur d'action de grâce fait vite oublier les danses rustiques. Dans la *Pastorale*, l'homme n'est plus simple spectateur de la nature : il vit une

1. Article OPÉRA du *Dictionnaire de musique*.

forme de crise qui le transforme à jamais. Cette crise semble à la fois précipitée et dénouée par la transcendance. Elle est en tout cas d'ordre métaphysique.

L'EXPÉRIENCE DU SUBLIME

L'hypothèse du caractère existentiel de cet orage peut être étayée. Beethoven emprunte plusieurs motifs de ce quatrième mouvement à l'introduction de son ballet *Les Créatures de Prométhée* (1801) : celle-ci dépeignait la tempête accompagnant la rupture de Prométhée avec les dieux, au moment où le titan leur dérobe le feu pour le communiquer aux hommes. Est-ce une coïncidence ? L'orage de la *Pastorale* est secrètement sous-tendu par ce mouvement de révolte prométhéenne, suggérant la victoire du surhomme. Mais la crise existentielle traversée par le sujet s'apparente surtout à l'expérience du sublime.

Beethoven a-t-il été marqué par la philosophie de Kant ? Celui-ci nourrit dans ses *Premiers principes métaphysiques de la science de la nature* (1787) une conception rationaliste encore inspirée des Lumières. Sa *Critique du jugement* (1790) ouvre en revanche une brèche en théorisant le sublime, pensé dans son opposition au beau. Tandis que ce dernier, d'essence formelle, concernerait un objet limité et fini, le sublime, dépassant l'entendement, renverrait à l'illimité et à l'infini. Or pour Kant, l'homme peut éprouver le sublime face à la nature déchaînée. La violence d'une tempête, le désordre des masses montagneuses, le spectacle d'un océan démonté : autant de chocs émotionnels qui suscitent un « plaisir mêlé d'effroi ». Dans un sentiment ambivalent d'attraction et de répulsion, l'homme est alors renvoyé à l'intuition de l'incommensurable. Le sublime devient expérience du divin, élan et mouvement de transcendance vers l'absolu.

Dans la peinture de cette époque, la nature sauvage inspire étonnement et frayeur : « Les hauteurs extrêmes de ses montagnes, la profondeur de ses gouffres, la violence des réactions de la mer et du vent effraient toujours, mais d'une frayeur délicieuse [...] qui conduit l'âme au-delà d'elle-même, vers le sublime[1]. » Dans les tableaux de Joseph Vernet, de Turner ou de Loutherbourg, l'homme apparaît directement en lutte avec les éléments : agrippé lors de la tempête, en fuite devant l'avalanche, figé d'effroi face aux effets d'écrasement. Il sert de mesure à la monumentalité et aux déchaînements naturels.

Plaçant lui aussi l'auditeur en prise quasi physique avec la catastrophe, l'orage de Beethoven est digne de ces spectacles inouïs. Il répond également aux critères esthétiques du théoricien allemand Johann Georg Sulzer, qui dès 1774 définissait le sublime comme ce qui est à la fois plus grand et plus fort que ce à quoi l'on peut s'attendre. Effet de surprise, utilisation des timbres, saturation de l'espace sonore, impression de chaos : dans le quatrième mouvement de la *Pastorale*,

1. Ramos, p. 68.

tout concourt à donner à entendre ce qui dépasse l'entendement. L'expérience du sublime se fait alors quasi-théophanie : le voile d'Isis semble se lever et la nature paraître telle qu'en elle-même. Mais comme le rappelle Kant dans sa *Critique du jugement*, « on n'a peut-être rien dit de plus sublime ou exprimé une pensée de façon plus sublime que dans cette inscription du temple d'*Isis* (la mère *Nature*) : "je suis tout ce qui est, qui était et qui sera, et aucun mortel n'a levé mon voile" ».

La peinture musicale en question

Beethoven n'est ni le premier ni le seul musicien à développer l'esthétique du sublime. Elle sous-tend déjà l'ouverture de *La Création* de Haydn, intitulée « La représentation du Chaos » : le parcours harmoniquement tourmenté et les contrastes saisissants de cette page orchestrale suggèrent la violence du choc originel dont l'homme et la nature sont issus. Mais l'orage de la *Pastorale* a très rapidement fait figure de modèle. Rossini se situe dans son sillage direct lorsqu'il écrit *Guillaume Tell*. Cet opéra est créé à Paris en juillet 1829, trois mois seulement après la première française de la 6e *Symphonie* de Beethoven aux Concerts du Conservatoire. Son ouverture à programme, très célèbre, contient une scène pastorale et un orage. Rossini cherche manifestement à rivaliser avec son prédécesseur allemand, si l'on en juge par la façon dont il recourt au piccolo et aux trombones.

Bien des tempêtes éclateront par la suite à l'opéra, de Verdi (*Rigoletto*) à Wagner (depuis le *Vaisseau fantôme* jusqu'à la *Tétralogie*). Toujours soucieux de rivaliser avec l'orchestre, Liszt introduira un dantesque « orage » pianistique dans ses *Années de pèlerinage*, et dans le genre symphonique foudre et tonnerre s'abattront jusqu'à la *Symphonie alpestre* de Strauss. Tchaïkovski consacrera pour sa part deux poèmes symphoniques à *L'Orage* et à *La Tempête* : le second s'inspire du drame de Shakespeare, dont le naufrage fondateur possède une dimension métaphysique en parenté avec l'esprit beethovénien. L'anecdote selon laquelle Beethoven aurait relié à cette *Tempête* shakespearienne sa propre sonate pour piano op. 31 n°2, en revanche, est totalement apocryphe.

La *Symphonie pastorale* alimenta surtout le débat théorique. Elle fit couler beaucoup d'encre car elle posait par excellence, estimait-on, le problème de la peinture musicale (*Tonmalerei*). Dans son lexique de musique, l'Allemand Heinrich Christoph Koch expliquait, en 1802 déjà : « Lorsque la musique imite certains sons et certains mouvements de la nature inanimée, comme le roulement du tonnerre, le tumulte de la mer ou le sifflement du vent, on appelle cette imitation une "peinture". Il est vrai que certains phénomènes naturels présentent quelques analogies avec les sons de la musique, ce qui permet aux compositeurs de la retranscrire à leur manière. Mais la musique trahit véritablement sa nature lorsqu'elle entreprend d'exprimer de telles images, car son seul et unique objet est de dépeindre les émotions et les sentiments du cœur, et non de représenter des attributs appartenant à des choses inanimées[1]. » Beethoven a retenu la leçon.

Sa *Pastorale* aviva pourtant le débat sur l'autonomie ou l'hétéronomie de l'art des sons. La musique pouvait-elle trouver son matériau dans la nature ? Ou devait-elle se créer son propre matériau *in abstracto* ? La musique imitative n'avait pas alors bonne presse. On connaît la boutade de Schumann sur les oratorios de Haydn : dans *La Création*, déplore-t-il, « on finit par entendre pousser l'herbe » ! D'autres voix sceptiques s'élèvent, comme celle du théoricien Gottfried Weber en 1825 : « Il me semble, écrit-il, que la véritable peinture sonore, c'est-à-dire la tentative faite par le compositeur de faire naître par le truchement de sons musicaux l'image d'objets extérieurs perçus par l'ouïe ou la vue, n'a pas vraiment sa place dans le style noble, élevé, sublime ou pathétique, mais plutôt dans le style naïf, humoristique, comique, burlesque et, de manière générale, dans tout ce qui ne relève pas du pathétique noble[2]. » Même si cette peinture sonore s'attache à la nature subjective, plus qu'à la nature objective, elle n'a pas pour lui de véritable dignité esthétique.

Cette conception anticipe le formalisme esthétique de Hanslick et l'école dite de Leipzig (autour de

1. Article « Malerey » (peinture), cité par François-Sappey [1], p. 254.
2. « Über Tonmalerei », *Caecilia*, 1825, cité par Candoni, p. 103.

Brahms). Face à elle se dressent les tenants de l'hétéronomie de la musique qui préfigurent, eux, l'école de Weimar (Liszt et Wagner). Adolf Bernhard Marx rédige ainsi un essai, intitulé *De la peinture dans la musique*, défendant la légitimité du tableau sonore et poétique : « Notre musique instrumentale est faite ainsi ; c'est le langage des mille âmes de la nature qui veut se révéler à nous à travers les instruments et faire du royaume humain de l'artiste le royaume de l'univers. » À condition de ne point être une reproduction mécanique des sons de la nature, la peinture sonore serait pour lui non seulement une nécessité historique (la musique se développerait dans le sens d'une détermination toujours croissante, faisant du poème symphonique un genre d'avenir), mais une exigence ontologique : les analogies entre phénomènes acoustiques et visuels suscitées par la peinture sonore seraient liées à l'essence synesthésique du monde. L'unité postulée de la nature ferait résonner entre eux, comme par sympathie, les différentes sensations et l'ensemble des arts.

En France, Berlioz défend ardemment la peinture musicale. L'expérience de l'orage beethovénien s'est révélée déterminante pour lui : « Écoutez, écrit-il, écoutez ces rafales de vent chargées de pluie, ces sourds grondements des basses, le sifflement aigu des petites flûtes qui nous annoncent une horrible tempête sur le point d'éclater ; l'ouragan s'approche, grossit ; un immense trait chromatique, parti des hauteurs de l'instrumentation, vient fouiller jusqu'aux dernières profondeurs de l'orchestre, y accroche les basses, les entraîne avec lui, et remonte en frémissant comme un tourbillon qui renverse tout sur son passage. Alors les trombones éclatent, le tonnerre des timbales redouble de violence. Ce n'est plus de la pluie, du vent : c'est un cataclysme épouvantable, le déluge universel, la fin du monde. » Magnifique évocation, à l'issue de laquelle Berlioz décrit par excellence l'expérience du sublime : « L'émotion que j'en ressens est si forte que je ne sais trop distinguer si c'est plaisir ou douleur. »

Lui-même hésita à rivaliser avec l'orage beethovénien. Sa propre *Symphonie fantastique* ne comporte qu'une « Scène aux champs », en hommage à la *Pastorale*. Il faudra attendre, par-delà sa *Fantaisie sur la Tempête de Shakespeare*, le fameux intermède symphonique des *Troyens*, « Chasse royale et orage », pour que Berlioz assume l'héritage : avec un incroyable sens du spectaculaire, et avec les nouvelles ressources du grand orchestre romantique. Entre-temps, *La Damnation de Faust* aura fait retentir une formidable « Invocation à la nature », à la fin du drame, juste avant l'ultime course à l'abîme. Lointainement inspirées de la scène de Goethe intitulée « Forêts et cavernes », les paroles sont de Berlioz, qui semble s'exprimer en son nom à travers Faust : « Nature immense, impénétrable et fière, / Toi seule donnes trêve à mon ennui sans fin... » Ce face-à-face magistral évoque à la fois la meilleure poésie de Chateaubriand et les toiles les plus grandioses de

Caspar David Friedrich. De l'errance harmonique initiale à l'ultime cadence modale au ton hymnique, l'orchestre donne voix à la nature : lieu de forces mouvantes, immensité mystérieuse, il se fait tout entier paysage.

Paysages

La nature romantique

Inutile de regarder le paysage,
il est tout entier dans ma musique.
MAHLER
(à propos de sa *3e Symphonie*)

Berlioz l'assure : le compositeur peut « produire *sur l'oreille* des impressions analogues à celles qu'éprouverait un voyageur parvenu au sommet d'une montagne, à l'aspect d'un espace immense, d'un panorama splendide se déroulant à l'improviste sous ses yeux[1] ». Connaissait-il le fameux tableau de Caspar David Friedrich ? *Le Voyageur au-dessus d'une mer de nuages* représente un personnage de dos, hissé sur des escarpements rocheux et sondant des lointains mystérieux. Le spectacle des brumes semble contenir la promesse d'une révélation.

Peut-être parce qu'il se présente désormais comme un dévoilement sublime, le paysage est le nouvel eldorado des artistes. On ne le traite plus en simple

1. « De l'imitation musicale », *Revue et Gazette musicale*, 8 janvier 1837.

décor des actions humaines : on en fait un sujet à part entière. Dans les beaux-arts, l'ancienne hiérarchie des genres est renversée. De Constable à Turner, de Friedrich à Købke, de Corot à Millet, la grande peinture d'histoire se voit détrônée par la peinture de paysage. Quant à la musique, elle espère tirer son épingle du jeu : par le caractère vague de son mode de signification, elle saisira la profondeur des horizons chimériques.

Intimement lié à la subjectivité de celui qui observe, le paysage est d'abord une affaire de point de vue ; il se découvre soudain au cours d'une pérégrination au cœur de la nature. Il est donc indissociable de la marche à pied, en plein développement à l'époque. Liée à l'évolution de la sensibilité comme à celle des pratiques sociales, celle-ci a été popularisée par Rousseau, l'auteur des *Rêveries du promeneur solitaire*, avant d'être très prisée des Anglais : les jeunes gens de bonne famille effectuaient alors un « Grand Tour » sur le continent. Cette nouvelle pratique de la marche correspondait à un projet culturel et esthétique réalisé dans la poésie de Wordsworth ou de Coleridge : la recherche de vues pittoresques et la contemplation de paysages romantiques, lieux d'une expérience sublime.

En France, on nomme « romantique » un paysage caractéristique mais aussi, par extension, toute musique se faisant tableau sonore et suscitant un effet puissant sur l'imagination. En Allemagne, bien des musiciens se font voyageurs. Ces *Wanderer* cheminent le long des ruisseaux, s'enfoncent dans les forêts, errent au cœur d'immensités. Comment leur musique parvient-elle à intérioriser les qualités poétiques et métaphysiques des contrées qu'ils traversent ? Les paysages sonores des romantiques, on le verra, se trouvent tiraillés entre le goût du détail, dans une approche pittoresque, et l'espoir d'une fusion mystique avec le Grand Tout.

Montagnes et forêts

Le spectacle de la nature s'enrichit tout d'abord d'une meilleure connaissance de la haute montagne. La première ascension du Mont Blanc ne date que de 1786 : les points de vue sur les hauts massifs s'en trouvent métamorphosés. Les artistes y puisent une nouvelle source d'inspiration : dès 1816, l'Allemand Steibelt consacre le sixième de ses concertos pour piano à un *Voyage sur le mont Saint Bernard* ; Joachim Raff s'illustrera bientôt dans une symphonie intitulée *In den Alpen*, en attendant la *Symphonie alpestre* de Richard Strauss.

De fait, ces lieux tour à tour idylliques et inhospitaliers parlent aux âmes tourmentées. Dans ses *Rêveries sur la nature primitive de l'homme*, Senancour clame sa fascination pour les « sons romantiques » qui retentissent au cœur des Alpes : « Le mugissement des torrents fougueux, dans la sécurité des vallées ; la paix des monts en leur silence inexprimable, et le fracas des glaciers qui se fendent, des rocs qui s'écroulent, et de la vaste ruine des hivers. » Dans son roman *Oberman*, futur livre de chevet de Franz Liszt, il fait traverser le massif alpin à son héros maladif et consacre à nouveau l'ouïe comme le plus romantique des sens, au détriment de la vue : la preuve en serait le ranz des vaches, cet air des montagnes suisses qui constituerait le meilleur tableau pittoresque qui fût.

Qu'un simple chant populaire possède une telle vertu picturale marqua bien des musiciens. Le violoniste italien Viotti rendit compte de sa propre expérience, lorsqu'il entendit lui-même retentir un cor des Alpes traditionnel au cœur des montagnes : « J'étais donc là, écrit-il, sur cette pierre, lorsque tout-à-coup mon oreille, ou plutôt toute mon existence, fut frappée par des sons, tantôt précipités, tantôt prolongés et soutenus, qui partaient d'une montagne, et s'enfuyaient à l'autre, sans être répétés par les échos. C'était une longue trompe ; une voix de femme se mêlait à ces sons tristes, doux et sensibles, et formait un unisson parfait. » Viotti nota soigneusement l'air qu'il entendit ; il l'exécuta à maintes reprises dans sa carrière pour transporter ses auditeurs, par l'imagination, au cœur des vallons suisses. Brahms fit de même lorsqu'il traversa les Alpes, et le thème qu'il recueillit se retrouva dans le final de sa *1re Symphonie*, énoncé au cor. Plusieurs autres musiciens citèrent ou réécrivirent le ranz des vaches : Rossini dans *Guillaume Tell*, Liszt dans sa *Fantaisie romantique sur deux mélodies suisses*, Schumann dans *Manfred*. Jointe à une instrumentation caractéristique (cornes de vaches dans l'ouverture du *Guillaume Tell* de Grétry, cor anglais bien souvent), l'intrusion de cet air pittoresque permettait à la musique de se faire paysage.

Son lien à une nature « primitive » en faisait simultanément un symbole de liberté, à la fois sur le plan politique, moral et esthétique. Liszt ne l'ignorait pas lorsqu'il écrivit son *Album d'un voyageur*, au cours de sa romanesque échappée en Suisse avec Marie d'Agout. La deuxième partie de ce recueil, *Fleurs mélodiques des Alpes*, est fondée sur un ensemble de thèmes populaires glanés au cœur des montagnes. Mais le projet de l'*Album d'un voyageur* est bien plus ambitieux : Liszt cherche à renouveler l'écriture pianistique par la subjectivation musicale des contrées qu'il traversa. « Ayant parcouru en ces derniers temps bien des pays nouveaux, explique-t-il dans sa préface, bien des sites divers, bien des lieux consacrés par l'histoire et la poésie ; ayant senti que les aspects variés de la nature et les scènes qui s'y rattachent ne passaient pas devant mes yeux comme de vaines images, mais qu'elles remuaient dans mon âme des émotions profondes ; qu'il s'établissait entre elles et moi une relation vague mais immédiate, un rapport indéfini mais réel, une communication inexplicable mais certaine, j'ai essayé de rendre en musique quelques-unes de mes sensations les plus fortes, de mes plus vives perceptions. » Dans ce quasi-carnet de voyage refondu en premier livre des *Années de pèlerinage*, la *Chapelle de Guillaume Tell*, le *Lac de Wallenstadt* ou la *Vallée d'Obermann* se présentent, de fait, comme de somptueux paysages subjectivés par l'artiste, au service d'une conception poétique de la musique.

Dans l'Allemagne romantique, la poésie des grands espaces est souvent liée au cor, l'instrument évocateur par excellence. Ils sont trois à retentir dans l'ouverture du *Freischütz* de Weber, plongeant d'emblée l'auditeur au cœur de la forêt bavaroise. Évanouis, les anciens bocages et ruisseaux de l'opéra baroque : ils ont fait place à une nature autrement plus contrastée. Au plus haut point poétique – dans l'air d'Agathe, l'orchestre semble être l'émanation même des bois alentour –, mais d'une beauté menaçante. Au cœur de la forêt, la Gorge aux loups est le théâtre de terrifiantes fantasmagories sonores et visuelles : un sanglier noir traverse la scène, des cerfs et une meute passent, une tempête se lève ; tandis que des flammes bleues sortent de terre et que des feux follets rougeoient, les éclairs zèbrent le ciel, le tonnerre gronde, on entend le choc des rochers, le craquement d'arbres déracinés et le flot d'une cascade qui écume…

« Les peuples du midi n'ont pas de brouillard où cacher des fantômes », constate Camille Bellaigue : « L'Allemagne, au contraire, a toujours peuplé ses bois, ses grottes, ses fleuves, d'êtres mystérieux[1]. » Forêts et montagnes germaniques frappent d'autant plus les imaginations qu'elles sont le théâtre de phénomènes inexpliqués. Nombreux sont les témoignages d'inquiétantes sonorités reten-

1. Bellaigue, p. 620.

tissant dans le Herselberg, en Thuringe : on y distingue « des cris de chasseurs, des fanfares de cors, des aboiements de chiens, quelquefois des appels militaires, des cliquetis d'armes, le tout mêlé à des rugissements de lions et à des grognements de sangliers. Puis tout à coup, au milieu de ces bizarres harmonies, retentit un son dur, comme si un marteau agité par quelque main diabolique frappait soudainement une cloche, et tout cesse, un silence de mort règne de nouveau sur la montagne[1] ». Ces « chasses sauvages » résonnent du *Freischütz* de Weber à la terrifiante étude pianistique de Liszt. Marquant le triomphe de l'irrationnel, elles montrent à quel point la forêt se met à devenir le réceptacle de toutes les angoisses.

Dans ses tardives *Scènes de la forêt* pianistiques, Schumann évoque la journée d'un chasseur, de l'*Entrée en forêt* jusqu'à l'*Adieu*. Une chanson de chasse y retentit, dans l'héritage des chœurs du *Freischütz*, mais au sein des contrées les plus amènes (*Fleurs solitaires*, *Paysage souriant*) se nichent aussi les terreurs d'un *Lieu maudit*. Grâce à *L'Oiseau prophète*, l'expérience sylvestre se fait néanmoins révélation. Quelques années plus tard, chez Wagner, un autre oiseau chantera au cœur de la forêt. Il révélera à Siegfried le sens de son destin, tandis que l'orchestre aura donné vie aux *Waldweben* (« murmures de la forêt ») avec une extraordinaire puissance d'évocation.

---

1. Kastner, p. 24-25.

Par-delà les fantasmagories latentes qu'ils suscitent, les paysages sonores deviennent alors très typés ; ils tentent désormais de cerner le caractère propre à des lieux spécifiques. Cette recherche peut être liée au goût toujours croissant pour les récits de voyage, dont la publication est richement illustrée de lithographies ou de gravures. Certaines entreprises, comme l'édition monumentale des *Voyages pittoresques dans l'ancienne France*, s'intéressent de façon systématique aux richesses architecturales comme aux vues remarquables des régions. Les compositeurs concourent à leur manière à cette patrimonialisation des paysages : en cherchant à « territorialiser » leur expression, c'est-à-dire à rendre la musique perméable aux spécificités des différents lieux qu'ils évoquent. Pour en prendre la mesure, rien de tel qu'un petit voyage pittoresque à travers l'Europe, au sein d'un large XIXe siècle musical.

Un voyage pittoresque

Notre périple commence au cœur de l'Écosse, en compagnie du jeune Mendelssohn. Cette terre nordique est chérie des romantiques pour sa mythologie ossianique, toute de brumes, de tempêtes et d'obscurs combats héroïques. La *Symphonie écossaise* réveille le souvenir de Macpherson, qui a remis à la mode les sagas d'Ossian dès la fin du XVIIIe siècle, et celui de Walter Scott, à qui Mendelssohn a rendu visite au cours de son voyage dans les Highlands. On y entend la rigueur des intempéries s'abattant sur ces contrées (des chromatismes en rafale balaient la fin du premier mouvement) puis le folklore gaélique, dans le Vivace qui suit, au son d'une clarinette stylisant la cornemuse.

À quelques encablures, l'ouverture *Les Hébrides* nous conduit vers l'une des curiosités géologiques de la région : la grotte de Fingal, père d'Ossian, creusée dans les flancs basaltiques de l'île de Staffa. Elle est célèbre par les harmonies mélancoliques qui émanent des gouttes d'eau tombant de sa voûte, et par les tourbillons de vent qui passent à travers ses colonnes rocheuses, disposées en buffet d'orgue. Grâce à Mendelssohn, nous sommes plongés au cœur de ce mirage sonore : bercement des vagues de la mer (motif générateur d'arpège brodé descendant[1]), résonances acoustiques de la grotte (tenues des bois), jeux de vents et menaçants effets d'amplification sonore. Voici assurément l'une des « plus belles peintures que le musicien puisse faire d'un phénomène naturel, sans tomber dans la puérilité du détail et se bornant, toujours en grand artiste, aux seuls effets que son art peut rendre et rendre poétiquement[2] ».

Nous prenons le large, toujours en compagnie de ce fin coloriste qu'est Mendelssohn – *Mer calme et heureux voyage* – afin de rejoindre la côte normande. Reynaldo Hahn nous y accueille avec sa *Douloureuse rêverie dans un bois de sapins*,

1. François-Sappey [2], p. 105.
2. Lavoix, p. 38.

composée à Varengeville non loin de Dieppe, puis avec un délicieux *Effet de nuit sur la Seine*. Une fois le fleuve remonté, nous cheminons plein sud. Nous traversons l'Auvergne qui sera bientôt chantée par Joseph Canteloube et gagnons le cœur du Vivarais grâce à la *Symphonie « cévenole »* de Vincent d'Indy. Fondée sur un véritable chant de berger montagnard, celle-ci s'ouvre par une introduction agreste confiée au cor anglais. L'arrivée du piano obligé met à distance le style bucolique mais une grande poésie se dégage de cette œuvre quasi impressionniste, tout en ciels mouvants et en rêveries, au cœur de cette Ardèche si chère au musicien. Nous redescendons alors des hauteurs des Cévennes, avec *Mireille* de Gounod, pour écouter le chant des cigales et traverser l'écrasante plaine de la Crau. La chaleur est suffocante.

Nous poursuivons toujours plus au sud. Une fois franchies les Pyrénées, nous sommes éblouis par la lumière qui jaillit d'*España*, l'étincelant poème symphonique de Chabrier. Gagnés par la langueur et la lascivité, nous nous attardons quelque peu, en attendant les *Nuits dans un jardin d'Espagne* de Falla et *La Soirée dans Grenade* de Debussy. Nous recueillons encore une foule d'impressions andalouses, de Séville à Malaga, grâce à *Iberia* d'Albéniz. Puis nous passons *Une nuit à Lisbonne* en compagnie de Saint-Saëns, qui nous propose d'embarquer pour les Canaries afin d'aller écouter *Les Cloches de Las Palmas*. La côte d'Afrique occidentale est toute proche. Avec *Le Désert*, ode-symphonie de Félicien

David, nous rejoignons une caravane et marchons au cœur du Sahara. Nous endurons une violente tempête de sable (déferlante de rafales chromatiques aux contrebasses, cris d'épouvante des bédouins face aux éléments déchaînés) mais parvenons à garder le cap, au son du « Chant du muezzin ». Reynaldo Hahn nous retrouve à Biskra, en Algérie, dans sa pittoresque *Oasis*, et nous savourons ensuite les délices de sa *Rose de Blida*. Mais il est temps de quitter les colonies françaises : il faut prendre la mer en direction de l'Italie.

De Naples nous remontons la péninsule, toujours en quête de paysages : une fois passées *Les Collines d'Anacapri* (Debussy), Liszt nous fait découvrir à Tivoli les élégiaques *Cyprès de la villa d'Este* et de scintillants *Jeux d'eau* à la symbolique spirituelle. Avec *Harold en Italie*, Berlioz nous conduit dans les Abruzzes. Le héros de cette symphonie concertante, un altiste-voyageur, ouvre le chemin au cœur du massif (« Harold aux montagnes »). Nous croisons alors une « Marche des pèlerins chantant la prière du soir », puis une très pittoresque « Sérénade d'un montagnard des Abruzzes à sa maîtresse », au son strident des *pifferari* traditionnels. Hélas, nous sommes soudain détroussés par des brigands de grand chemin. Nous poursuivons malgré tout plein nord. Attirés par le son de quelque barcarolle, nous traversons la lagune vénitienne, avant de nous décider à passer les Alpes.

Richard Strauss nous permet d'emporter d'Italie quelques souvenirs (*Aus Italien*), mais c'est grâce à sa *Symphonie alpestre* que nous gagnons les cimes. Départ à l'aurore, au moment où le lever du soleil embrase le paysage : la « Montée » fait entendre le thème du voyageur, sous la forme d'une marche rythmée. Au loin sonne déjà l'appel des chasseurs, au moment de l' « Entrée dans la forêt » (cuivres spatialisés derrière la scène). Chants d'oiseaux, murmure des ruisseaux et cascades étincelantes : la nature se pare de tous ses atours. Les alpages retentissent au son des appels de bergers et des cloches de vaches. Le sommet se gagne par étapes successives, en passant par un somptueux mais menaçant glacier, et il réserve une splendide « Vision ». Un terrible « Orage et tempête » s'annonce soudain : il déferle à renfort d'orgue, de machine à vent et à tonnerre. Il faut redescendre précipitamment, une fois le danger éloigné.

Nous voici désormais de l'autre côté des Alpes. Le voyage se poursuit avec l'orchestre de Smetana, *Dans les prés et les bois de Bohême*. Toujours en terre tchèque, Dvořák nous plonge à son tour *Dans la nature* (ouverture symphonique op. 91) et nous fait visiter au piano *La Forêt de Bohême* : nous faisons une halte « Près du Lac noir », inquiétant, et écoutons le « Silence de la forêt ». Un peu plus loin coule *Le Beau Danube bleu* : en passant par Vienne l'impériale, il nous mène, en son long cours, jusqu'à la Mer noire. Nous nous reposons du voyage en compagnie de Reynaldo Hahn, à nouveau : sa *Rêverie nocturne sur le Bosphore* dégage un parfum capiteux. Les narcotiques orientaux ne nous arrêtent qu'un temps : la traversée se poursuit, sans encombre car Moussorgski n'a pas achevé sa *Tempête sur la mer noire* ; son recueil pianistique nous conduit malgré tout *Sur la côte sud de Crimée*. Mais l'appel des grands espaces nous pousse plus loin encore vers l'est, avec Borodine, jusque *Dans les steppes de l'Asie centrale*. Au son d'une chanson russe, des chameliers nous rejoignent : la caravane s'élance dans l'immensité du désert.

Fleuves nationaux

En ce siècle de douloureux réveil des nations, le caractère pittoresque des paysages sonores revêt souvent une couleur idéologique. Il permet de chanter la beauté du terroir et les vertus du territoire. Pour ainsi dire géolocalisée, cette nature « caractéristique » des romantiques devient l'oriflamme d'une pensée identitaire. Les fleuves jouent alors un grand rôle dans l'imaginaire artistique : ils cristallisent la pensée nationale. Parfois divinisés, souvent associés à des contes et à des légendes, ils symbolisent la fierté d'un peuple. Les Allemands n'ont cessé de chanter leur *Vater Rhein*, auquel la musique et le destin de Schumann sont si tragiquement liés. Le Saxon lui consacre plusieurs lieder et toute sa *Symphonie n° 3*, dite « Rhénane ». Parce qu'il ne le réduit pas à sa dimension pittoresque, il renonce au sous-titre initialement prévu d'« Épisode d'une vie sur les bords du Rhin », mais l'esprit du fleuve traverse toute l'œuvre, jusqu'au fameux quatrième et avant-dernier mouvement, inspiré par une cérémonie dans la cathédrale de Cologne.

À l'heure où les musiciens allemands sont en quête de muses autochtones, la Loreley devient l'âme de la nation : par la médiation du poète Heine, la sirène rhénane chante chez Liszt et chez Clara Schumann. Quant aux Filles du Rhin, elles enracinent la *Tétralogie* de Wagner dans la mythologie germanique. En Russie, la Volga joue le même rôle. Le plus long fleuve d'Europe a inspiré un opéra à Arensky, mais la chanson des *Bateliers de la Volga* fait office de quasi-hymne national. Balakirev l'a inscrite dans son recueil de chants folkloriques russes et elle résonne encore chez Tchaïkovski, Glazounov ou Stravinsky.

En Europe centrale, le Tchèque Smetana donne à la Vltava (Moldau), simple affluent de l'Elbe, l'aura qu'a le Rhin pour les Allemands ou le Danube pour les Austro-Hongrois. Sa fameuse *Moldau* fait partie d'un cycle au titre explicite – *Ma Patrie* – clamant la ferveur nationale du musicien qui s'était battu durant le Printemps des peuples de 1849. Chef-d'œuvre de musique descriptive, ce poème symphonique fait suivre à l'auditeur le cours de plus en plus majestueux du fleuve : les deux petits ruisseaux originels font surgir un motif aquatique, sous la forme d'un *perpetuum mobile* brodé, qui prendra toujours plus d'ampleur. Au fil de l'eau résonne toute la campagne tchèque : une chasse dans les bois, une noce paysanne, les cascades des impressionnantes gorges de Saint-Jean, avant l'arrivée solennelle dans Prague. Le symbole est politiquement très éloquent ! Comme le Rhin, la Moldau est enfin habitée par des créatures féeriques incarnant l'âme de la nation : ce sont les roussalkas, qui miroitent chez Smetana au cœur de l'œuvre, et au clair de lune.

NOCTURNES D'ICI ET D'AILLEURS

Les romantiques ont chanté la nature à toutes les saisons et à toutes les heures : depuis le lever du soleil (*Peer Gynt* de Grieg commence par une belle aurore nordique) jusqu'aux rougeurs du crépuscule (combien d'*Abendrot* dans les lieder allemands, de Schubert à Richard Strauss !). Mais la nuit semble être le moment où la nature se révèle dans toute sa vérité. Loin des anciennes sérénades comme la fameuse *Petite musique de nuit* de Mozart, qui accompagnaient les divertissements galants, désormais les couleurs disparaissent et les contours s'estompent : le paysage perd de sa matérialité pour gagner en spiritualité. Devenu pour ainsi dire invisible, il contribue à renverser les valeurs : l'idéal triomphe du réel et l'éternité peut vaincre le temps.

Si, à l'époque, la peinture est plus naturellement liée au monde diurne, la musique, moins assujettie à la représentation qu'à la suggestion des élans du cœur, s'épanouit pour sa part loin du jour. Voilà pourquoi les paysages sonores ne sont jamais aussi pénétrants que lorsqu'ils se font nocturnes. Dans l'opéra romantique, ils sont omniprésents, de « Casta diva », l'hymne à la lune de *Norma* (Bellini), à la

Romance à l'étoile de Wolfram (Wagner) et du « Duo nocturne » de *Béatrice et Bénédict* (Berlioz) à la barcarolle des *Contes d'Hoffmann* (Offenbach). La nuit y constitue à la fois un effet spectaculaire – l'éclairage au gaz permet alors de varier l'intensité lumineuse des salles – et une féerie acoustique : sérénité, effets de balancement, accents passionnés.

Le clair de lune devient un lieu commun du romantisme. Au piano, le genre du nocturne est introduit par Field et magnifié par Chopin, sous la forme d'une pièce assez brève transférant à l'instrument la force élégiaque du *bel canto* ; Fauré, Vierne ou Scriabine prolongeront avec suavité cette tradition. Dans le répertoire du lied, il suscite de superbes pages contemplatives, dont l'*An den Mond* de Schubert constitue l'archétype. La rêverie suscitée par le tableau nocturne favorise à l'opéra le lyrisme d'introspection : bien des héros romantiques se retrouvent seuls en scène, à la nuit tombée, comme si, la matérialité du jour une fois estompée, l'âme pouvait s'épancher à son aise, avec le secret d'un bosquet ou l'immensité du cosmos pour seuls témoins. Dans *Les Pêcheurs de perles*, Nadir chante sa fameuse romance comme un hymne à la nuit ; quant à Aïda, elle épanche son cœur mélancolique sur les bords d'un Nil reflétant poétiquement la lune. Loin de l'astre du jour, l'orchestre frémit et les voix s'épanouissent. Les peines prennent un relief saisissant, et les sentiments se font musique : c'est « l'heure exquise ».

Le paysage nocturne peut être lié au mystère ou à l'inquiétante étrangeté, lorsqu'il devient le théâtre d'apparitions fantastiques où se rencontrent morts et vivants. À la façon du ténébreux cycle schumannien des *Nachtstücke*, la nuit favorise maléfices et obsessions macabres : cet univers irrationnel s'épanouira jusque dans le diabolique *Scarbo* de Ravel. Lieu du cauchemar, la nuit est aussi celui de la liberté sensuelle, de la fièvre passionnée ou de l'expérience mystique. Dans l'héritage poétique des *Hymnes à la nuit* de Novalis ou des *Nuits* de Musset, les nocturnes romantiques ne cessent de faire interagir l'amour et la mort, tout en devenant le creuset d'une révélation transcendante. Cette mystique de la nuit atteint son apogée chez Schumann dans un lied comme *Mondnacht* (Nuit de lune) ou, bien sûr, au cœur du *Tristan et Isolde* wagnérien. Le combat d'Eros et de Thanatos y suggère le désir qu'a l'homme de dissoudre son individualité dans la grande âme du monde. Le paysage nocturne devient alors l'antichambre de la nuit éternelle : dans cet espace interstitiel retentissent, à l'opéra, les chants du cygne de héros déjà déliés de toutes les chaînes les retenant à la vie.

En semblant ainsi retenir le cours du temps, la nuit constitue un formidable lieu de projection utopique. Elle met la musique instrumentale au défi de sa prétention à peindre l'ineffable ; elle marque le moment privilégié de la communion entre l'homme et la nature, et incarne le fantasme d'une fusion. Tant d'atouts expliquent que les nocturnes s'imposent durablement dans le répertoire, jusqu'au XXe siècle, à travers des esthétiques diversifiées mais lointainement héritées du romantisme.

Quelques musiques nocturnes des XIXe et XXe siècles

1827 Mendelssohn : *Die erste Walpurgisnacht* (cantate)
1839 Schumann : *Nachtstücke* (cycle pianistique)
1841 Berlioz : *Les Nuits d'été* (cycle de mélodies)
1867 Moussorgski : *Une nuit sur le mont Chauve* (poème symphonique)
1890 Debussy : *Clair de lune* (pièce pour piano)
1899 Rabaud : *La Procession nocturne* (poème symphonique)
1899 Schoenberg : *La Nuit transfigurée* (sextuor à cordes)
1899 Debussy : *Nocturnes* (triptyque symphonique)
1908 Ravel : *Gaspard de la nuit* (recueil pour piano)
1908 Mahler : *Symphonie n°7 « Chant de la nuit »*
1908 Ravel : *Prélude à la nuit* (*Rhapsodie espagnole* pour orchestre)
1912 Hahn : *Effet de nuit sur la Seine* (pièce pour piano)
1916 Falla : *Nuits dans les jardins d'Espagne* (piano et orchestre)
1917 Szymanowski : *Concerto pour violon n°1* (d'après *La Nuit de Mai*)
1921 Szymanowski : *Symphonie n°3 « Chant de la nuit »*
1939 Kœchlin : *Vers la voûte étoilée* (nocturne pour orchestre)
1940 Dallapiccola : *Vol de nuit* (opéra)
1945 Britten : *Moonlight* (interlude symphonique, *Peter Grimes*)
1971 Mâche : *Nuit* (pour bande électronique)
1977 Dutilleux : *Ainsi la nuit* (quatuor à cordes)
1978 Dutilleux : *La Nuit étoilée* (poème symphonique)
1982 Sciarrino : *Autoritratto nella notte* (orchestre)
1984 Dufourt : *La Nuit face au ciel* (pour six percussions)
1994 Pintscher : *Nacht. Mondschein* (pour piano)
2005 Canat de Chizy : *Suite de la nuit* (pour chœur)

Ces paysages nocturnes reflètent surtout le nouveau rapport à la nature qui a vu le jour avec la sensibilité romantique. Dans sa conception du savoir, la philosophie germanique se détourne de l'objectivation de la nature à laquelle aspiraient les Lumières ; pour ce faire, elle réalise « une combinaison des traditions vitalistes, théosophiques [...], de tous ces savoirs occultes qui avaient certes été marginalisés par la science galiléenne, mais n'avaient nullement disparu ». Aussi repose-t-elle sur « le sentiment d'une intelligibilité solidaire de l'homme et du monde, l'existence d'une secrète finalité irréductible au déterminisme de la physique mécaniste[1] ».

À l'ancienne vision mécaniste s'oppose désormais une conception vitaliste de la nature. Celle-ci dépasse l'ancienne coupure entre le monde organique et le règne inorganique : le cosmos entier est animé et le corps et l'âme de l'homme entrent en sympathie avec le corps et l'âme du monde. Aussi les mathématiques et la physique se trouvent-elles détrônées par les sciences biologiques. Dans *La Métamorphose des plantes*, Goethe s'intéresse à la nature comme processus et force agissante. Celle-ci se révèle puissance productrice de formes infiniment variées. La *Naturphilosophie* de Schelling achève de porter un coup de grâce aux anciennes représentations. Pour lui, la nature n'est plus cette matière inerte mise en

1. Farago, p. 82.

mouvement par des causes extérieures : elle est un dynamisme interne. Totalité vivante, elle est désormais appréhendée dans une forme de globalité qui subsume l'ancienne opposition entre esprit et matière. « La Nature est l'Esprit visible, explique Schelling dans son ouvrage *De l'âme du monde*, l'Esprit la Nature invisible. » Science, art et métaphysique se trouvent ainsi liées en un dessein universaliste qui correspondra bientôt à celui du *Gesamtkunstwerk* (œuvre d'art totale).

Les paysages nocturnes, dans lesquels arbres et plantes bruissent par-delà leurs formes visibles, permettent précisément au sujet de percevoir la nature comme un vaste organisme animé. À l'écoute de cette dernière, les musiciens peuvent avoir l'intuition de l'essence fondamentale des choses. Elle est devenue le moyen de connaissance par excellence. Puisque le divin est partout, jusque dans un grain de sable pour Friedrich, c'est par elle qu'une expérience de l'Absolu est possible. Avec les romantiques, tout se passe alors comme si musique et nature partageaient une même essence. D'un côté, la musique étant de moins en moins conçue comme une représentation du monde, mais comme le monde lui-même, sans médiation, elle peut instaurer un nouveau mode de relation, plus immédiat, à la nature. D'un autre côté, philosophes et poètes conçoivent en miroir la nature comme une universelle vibration. « Il y a de la musique dans le soupir du roseau » soutient Byron ; pour Coleridge (*The Eolian Harp*), chaque être vivant fait partie de l'harmonie universelle et vibre comme les cordes d'une harpe. En Allemagne aussi, comme le soutient Novalis, « la nature est une harpe éolienne : elle est un instrument de musique dont les sons font vibrer en nous des cordes plus hautes ».

Actionnée par le mouvement du vent, la harpe éolienne existe depuis longtemps. Mais au XIXe siècle, elle devient bien plus qu'un objet de curiosité ornant parcs, jardins et grottes : le symbole d'un nouvel être-au-monde. Le compositeur et théoricien Georges Kastner l'assure dans son essai *La Harpe d'Éole* : « C'est un instrument aérien, séraphique, dont les suaves harmonies résument les mille bruits de la terre et du ciel, et semblent empruntées aux voix les plus mystérieuses du grand concert de la création. » Admiratif de ses vibrations sympathiques, qui semblent donner voix à la nature, ce musicien aujourd'hui oublié écrivit un oratorio intitulé *Stéphen ou la harpe d'Éole* afin d' « imiter les effets naturels par des effets d'orchestre soigneusement combinés dans ce but ». Son œuvre est loin d'être anecdotique car à cette époque, on rivalise d'imagination pour inventer de curieux instruments qui puissent associer le jeu d'un musicien et l'action du vent : piano éolique d'Isoard, clavi-cylindre de Chladni, violoncelle éolique, aeolodicon, aeolomelodicon et autres physharmonicas...

Cette effervescence organologique trahit un engouement général pour les jeux du vent dans les cordes ; elle révèle surtout la conception métaphysique reliant alors l'art et la nature. Née en Allemagne, celle-ci se diffusa largement, comme le montre cette pensée de Gounod : « L'artiste n'est pas simplement une sorte d'appareil mécanique sur lequel se réfléchit ou s'imprime l'image des objets extérieurs et sensibles ; c'est une lyre vivante et consciente que le contact de la nature révèle à elle-même et fait vibrer ; et c'est précisément cette vibration qui est l'indice de la vocation artistique et la cause première de l'œuvre d'art[1]. »

On songe encore à Berlioz qui, dans son *Voyage musical en Italie*, se décrit en train d'écouter, en lisant Ossian, « la fantastique harmonie d'une harpe éolienne balancée au sommet d'un arbre dépouillé de verdure ». « Et je vous défie, ajoute-t-il, de ne pas éprouver un sentiment profond de tristesse, d'abandon, un désir vague et infini d'une autre existence, un dégoût immense de celle-ci ; en un mot, une forte atteinte de spleen, jointe à une tentation de suicide. » Berlioz connaissait les écrivains allemands, qui les premiers chantèrent l'amère magie de l'*Äolsharfe*. Dans le poème de Mörike qui suscita deux magnifiques lieder, signés Brahms et Wolf, le mystérieux instrument actionné par les airs rappelle tous les souvenirs nostalgiques : le musicien semble vibrer en harmonie avec la nature.

Dans l'univers des lieder germaniques culmine, de fait, une poétique de la harpe éolienne. À toutes les saisons, par tous les temps, à toute heure du jour et de la nuit, les paysages y sont animés, traversés par le

1. Gounod, p. 381.

vitalisme universel. Les sons et les voix de la nature (*Naturlaut*) y sont rois. L'air souffle à travers les feuilles, l'eau du ruisseau murmure, les hautes herbes sifflent, les feuillages bruissent, le torrent bouillonne, les oiseaux chantent. Vents, forêts, eaux vives, violettes ou rossignols : tous sont dotés de paroles ou de pensées que le musicien-poète s'emploie à décrypter. Dès Schubert, la nature s'exprime, et il faut déchiffrer ses signes. Ceux-ci peuvent être de caractère lyrique, lorsque le mois de mai rappelle l'amour de la bien-aimée ; élégiaque, lorsque le vent rapporte les souvenirs douloureux ; tragique, quand l'hiver crie la solitude amoureuse. Mais ils peuvent aussi être complices, si le pigeon se fait messager (*Der Taubenpost*), consolateurs, si le ruisseau chante une berceuse (*Des Baches Wiegenlied*), fantasmagoriques, lorsque les aulnes prennent le visage de la mort (*Erlkönig*), ou encore panthéistes, quand l'éclat du matin et les fleurs des champs signent la présence divine (*Ganymed*).

À l'autre bout du siècle, la musique de Mahler poursuit cette veine totalisante. Dans les *Chants d'un compagnon errant*, l'insouciance de la nature contraste avec l'humeur élégiaque du poète (*Ging heut'morgen übers Feld*) mais c'est auprès d'un tilleul que le repos est trouvé (*Die zwei blauen Augen*). La nature n'est pas seulement le lieu de l'effusion : comme le montre sa *Troisième Symphonie*, elle est un sanctuaire. Embrassant tour à tour les montagnes et les rochers, les fleurs, les animaux, puis l'homme, les anges et l'Amour, cette œuvre forme, ainsi que

Mahler l'explique dans une lettre du 26 juin 1896, « un poème musical qui traverse tous les degrés de l'évolution, étape par étape. Cela commence par la Nature inanimée et monte jusqu'à l'amour de Dieu ». Les paysages sonores qui se déploient dans la première partie ont donc une fonction heuristique : la nature s'y révèle lieu d'adoration et puissance à vénérer. À la fois temple et divinité.

Intermez'zoo

Un carnaval d'animaux

Ce ne sont pas les voix des animaux
qui nous importent, mais leurs boyaux,
et l'animal auquel la musique est le plus redevable
n'est pas le rossignol, mais le mouton.
HANSLICK, *Du Beau dans la musique* (1854)

La nature serait juste bonne à fournir aux musiciens de quoi confectionner leurs instruments : pas question, pour Hanslick, de dévoyer la musique en l'abaissant à évoquer la nature, a fortiori le règne animal. Ce genre de trivialité ne siérait point au plus élevé, au plus immatériel, au plus absolu des arts. Et pourtant... à condamner ainsi les rossignols, le fameux théoricien allemand ne fait-il point l'autruche ? Formalistes de tous poils, passez votre chemin : ce chapitre n'est pas fait pour vous !

Depuis qu'Hermès a inventé la musique en butant sur la carapace d'une tortue, les hommes n'ont certes cessé de déployer une imagination sans borne pour faire chanter la nature. On a utilisé le crin de cheval pour tendre les archets, les peaux de chèvre pour monter tambours et timbales, les plumes de corbeaux et les peaux de buffle pour fabriquer les sautereaux des clavecins. Aujourd'hui, les associations de défense des animaux peuvent dormir tranquilles : pour confectionner les cordes, le métal a remplacé les boyaux, et l'on a banni l'ivoire des pianos afin de sauvegarder les éléphants. Mais au-delà de ces considérations zoo'organologiques, il faut se rendre à l'évidence : l'histoire de la musique est une vraie arche de Noé.

Caquètements et autres cris

Saint-Saëns n'avait pas prévu le succès de son fameux *Carnaval des animaux*. Écrite pour le concert annuel du mardi gras du violoncelliste Lebouc (le nom ne s'invente pas !), cette « fantaisie zoologique » fit fureur mais Saint-Saëns choisit d'en interrompre toute exécution. Seule une disposition spéciale de son testament leva l'interdit et permit l'édition de la partition. On s'interroge sur ses motivations : craignait-il que cette plaisanterie musicale ne pût altérer sa carrière ? Peut-être ne voulait-il pas être le dindon de la farce. Ou craignait-il que sa fine ironie ne fût point perçue ?

Avec un quatuor à cordes, une contrebasse, une flûte, une clarinette, deux pianos et percussions, l'attelage est singulier. Plusieurs moments de ce *Carnaval* se contentent de faire entendre des cris d'animaux. Très sommairement, mais avec un réalisme saisissant. Dans « Poules et Coqs », pianistes et violonistes caquètent à l'envi, avec une verve de

Petit abécédaire zoologique

A comme Âne. Brait bruyamment dans l'ouverture du *Songe d'une nuit d'été* de Mendelssohn et dans l'opéra du même nom de Britten.

B comme Bourdon. Se livre à un vol vertigineux dans le célèbre intermède de Rimski-Korsakov, tiré de son opéra *Le Conte du tsar Saltan*.

C comme Chats. Minaudent en duo chez Rossini et miaulent jusqu'à l'extase dans *L'Enfant et les sortilèges* (Ravel). Dans *Pierre et le Loup* (Prokofiev), le chat est incarné par une clarinette à pattes de velours.

D comme Dindons. Se pavanent « *bêtement* » en *fa* majeur chez Chabrier (*Ballade des gros dindons*).

E comme Écrevisse. Marche à reculons dans le *Bestiaire* d'Apollinaire et Poulenc.

F comme Forelle (Truite). Folâtre dans le fameux lied de Schubert, puis dans l'*Andantino* de son quintette pour piano et cordes.

G comme Grenouille. Reine des marais dans *Platée* de Rameau, américaine chez Satie, purement instrumentale au milieu d'un chœur de rainettes et de crapauds dans *L'Enfant et les sortilèges*. De l'imitation du coassement des grenouilles serait né le *kechak* balinais.

H comme Hirondelle. Devenue mélodie chez Félicien David et Georges Auric.

I comme Insectes. Héros tragiques du *Festin de l'araignée* de Roussel.

J comme Jaguar. Inspire, via la culture amérindienne, une symphonie de Thierry Pécou.

K comme Kangourous. Bondissent joyeusement dans le *Carnaval des animaux* de Saint-Saëns.

L comme Lion. Danse la java sur le plateau de l'Opéra, dans *Les Animaux modèles* de Poulenc.

M comme MOUCHERON. Vrombit de façon inoffensive au clavecin chez Couperin ; devenu grosse mouche, zézaie en duo dans l'*Orphée aux enfers* d'Offenbach.
N comme NACHTIGALL (ROSSIGNOL). Icône de la nuit romantique dans les lieder de Schubert, Mendelssohn, Schumann, Brahms, Liszt ou Berg.
O comme OURS. Surnom donné de façon posthume à la *Symphonie n°82* de Haydn, en raison de l'incipit populaire de son *Vivace* final.
P comme PTÉRODACTYLES. Volent en rase-mottes et crient de façon perçante dans le savoureux *Jurassic Trip* de Guillaume Connesson, entre plésiosaures, raptors, brontosaures et tyranosaures.
R comme RAT. À l'honneur chez Goethe, dont la chanson du rat fut reprise par Berlioz et Wagner, et dont le *Rattenfänger* (Preneur de rat) fut adapté par Schubert et Wolf.
S comme SAUTERELLE. Stridule aimablement chez Marin Marais et finit en pâture chez Apollinaire et Poulenc (*Bestiaire*).
T comme TARENTULE. Donne son nom à la Tarentelle, danse italienne très rapide réputée pour guérir les blessés de ses morsures.
U comme UGUISU. Illumine de son chant le sixième des *Sept Haïkaï* de Messiaen.
V comme VACHES. Héroïnes éphémères de la *Symphonie alpestre* de Strauss, cloches de troupeau à l'appui. Quant au *ranz des vaches*, « marseillaise des bestiaux » selon Labiche, il retentit dans maintes pages romantiques.
W comme WALDVOGEL (OISEAU DE LA FORÊT). Adjuvant merveilleux de Siegfried chez Wagner, sous la voix d'un enfant dont le héros comprend les paroles : signe de sa profonde communion avec la nature.
Z comme ZÈBRES. S'ébrouaient dans une pièce pour deux pianos, hélas perdue, de Poulenc.

basse-cour. « Personnages à longues oreilles » est une brève page confiée aux seuls violons, qui alternent de veules braiements, *fortissimo*, en faisant se suivre notes suraiguës et tenues graves. Une ânerie à l'effet garanti. Dans « Kangourous », en revanche, ce n'est pas le cri des marsupiaux, mais leur mouvement que les instruments suggèrent par succession de sauts bondissants. Cacophonies sonores, aphorismes athématiques, ces trois pièces représentent plus ou moins la négation de la musique. Faut-il entendre là une charge contre la rhétorique imitative ?

Depuis l'époque baroque, certains compositeurs furent tentés de reproduire des sons d'animaux. Telemann écrivit par exemple un concerto pour violon, *Die Relinge* (les grenouilles), qui fait entendre le coassement des batraciens, et une *Grillen-Symphonie* dans laquelle retentit le chant des grillons. Marcello est l'auteur d'une cantate intitulée *Calisto changée en ourse*, dont Stendhal admirait la « férocité des accompagnements sauvages qui peignent les cris de l'ourse en fureur ». L'Autrichien Florian Leopold Gassmann écrivit une parodie intitulée *Opera seria* qui s'en prend, entre autres, à l'habitude des comparaisons naturelles fleurissant dans ce répertoire : au cours d'une *aria*, l'un des protagonistes doit imiter les frétillements d'un dauphin au beau milieu d'un banc de thons ! L'acmé de cette rhétorique zoologique fut atteinte par Haydn dans son oratorio *La Création* : après avoir fait entendre à l'orchestre les détails du vent, de la foudre, de la grêle, de la pluie et de la neige, au fil de cette vaste genèse du monde, il peint avec l'apparition des animaux la majesté du lion, la souplesse de la panthère, la douceur des agneaux, le vol audacieux de l'aigle, les roucoulements de la colombe, la gaîté du pinson et la mélancolie du rossignol.

Toute cette ménagerie suscita bien des critiques, en Allemagne comme en France, tant elle paraissait conduire l'auditeur au zoo : « Une vue du Jardin des Plantes n'a jamais été un beau paysage », tacla un musicographe de l'époque[1] ! Debussy ne se montra guère plus tendre avec la *Symphonie pastorale* : ridicule lui paraissait la scène au bord du ruisseau, avec son « rossignol en bois » et son « coucou suisse »... Peut-être *Le Carnaval des animaux* de Saint-Saëns constitue-t-il, à son tour, une charge plaisante contre les excès de la musique imitative. Il faut dire qu'un récent traité venait de théoriser très sérieusement la relation entre les instruments de l'orchestre et les animaux sauvages, en frôlant parfois le ridicule (voir ci-contre) !

Des animaux à fables

Le bestiaire de Saint-Saëns est surtout un carnaval : on y trouve donc des masques. Les animaux n'y sont parfois que des prétextes ou des leurres, à la façon des *Papillons* de Schumann, qui ont peu à voir avec l'entomologie. Dans « Tortues », les cordes exécutent à contre-emploi le fameux cancan tiré d'*Orphée aux*

1. Bellaigue, p. 620.

Les animaux de l'orchestre

Comment transformer l'orchestre en zoo ? En suivant les indications du tromboniste Alfred Quentin, qui signa en 1864 un très sérieux – mais bien curieux – traité d'instrumentation, dont voici quelques extraits.

TROMBONE. « Il peut rendre le grognement sourd du porc. »
COR. « Il invite aux plaisirs de la chasse. »
OPHICLÉIDE. « On peut l'employer pour représenter les bruits d'une meute, pour imiter à peu près le beuglement du bœuf, les hurlements des animaux féroces de la race de l'ours, les aboiements des chiens de la grande espèce. »
PETITE FLÛTE. « Dans ses deux octaves aiguës, elle imite le chant des oiseaux de l'espèce du rossignol et de la fauvette ; dans sa première octave, celui de la caille. »
GRANDE FLÛTE. « Elle peut imiter, dans son médium et dans les notes élevées de sa première octave, la voix à timbre voilé des oiseaux de l'espèce du coucou. »
CLARINETTE. « Dans les notes de sa troisième octave, elle imite la voix du dindon ; la voix perçante des oiseaux de la grande espèce des perroquets. »
HAUTBOIS. « Son timbre [...] peut, dans son étendue grave, imiter le cri des oiseaux de l'espèce du canard [...]. Il imite aussi le chevrotement de la chèvre ; dans le médium et dans l'aigu, [...] les pleurs du cerf. »
BASSON. « Ses notes extrêmement aiguës [...] peuvent imiter la voix perçante des grands oiseaux de proie tels que le vautour et l'aigle. [...] Dans les notes élevées de son étendue grave, [...] écrit en arpèges conjoints ou disjoints, diatoniques ou chromatiques, il indique l'approche du serpent ; dans le grave et dans le médium, et dans un rythme en arpèges par notes disjointes et détachées, il imite le bruit des meutes dans les chasses, la cadence des chevaux. »
VIOLON. « [Il peut] imiter le miaulement du chat. »
VIOLONCELLE. « Dans son étendue grave et dans quelques-unes des notes graves de sa deuxième octave, [il] peut imiter la voix du veau et celle du bœuf. »

enfers d'Offenbach, dans un tempo d'*andante maestoso* : ainsi métamorphosé, le galop infernal devient soporifique ! Dans « L'éléphant », la contrebasse solo donne un tour pachydermique à un thème tiré de la Danse des Sylphes (*Damnation de Faust*) : après Offenbach, c'est Berlioz qui fait les frais de cet étrange carnaval. Mais Saint-Saëns ne manque pas d'autodérision, puisque la musique de ses « Fossiles » utilise le thème de sa propre *Danse macabre*, au milieu d'un patchwork de chansons françaises bien connues et d'une citation du *Barbier de Séville*. Lui-même serait-il appelé à devenir un fossile, au même titre que Rossini ?

Charles Kœchlin se livrera pour sa part à de savoureux pastiches dans ce carnaval simiesque que constituent *Les Bandar-Log* : inspiré du *Livre de la jungle* de Kipling, ce « scherzo des singes » étrille, en les singeant, les différents styles d'avant-garde : debussysme, polytonalité, atonalisme... Quant à Guillaume Connesson, il imaginera dans son propre *Jurassic Trip* un carnaval d'animaux préhistoriques lié à une galerie de portraits, sans intention satirique cette fois-ci : ptérodactyles pour Thierry Escaich, tyrannosaures pour Pascal Zavaro, ou brontosaure pour Jean-François Zygel !

On sait bien depuis La Fontaine que les animaux peuvent être des allégories, et que l'apparence des bêtes permet de formuler aux hommes une vérité correctrice. Il leur arrive de parler, donc, et ce, depuis les polyphonies médiévales qui font chanter les oiseaux sur des onomatopées parfois très signifiantes. « Ocy, ocy » chante le rossignol à l'époque, en appelant à « occire » les ennemis. Chez Janequin, *L'Alouette* ou *Le Rossignol* sont anthropomorphiques et interpellent les hommes ; derrière la virtuosité imitative de son fameux *Chant des oyseaux* se cache aussi une satire de mœurs, la seconde version expurgée masquant le véritable propos de la pièce : une histoire de jalousie et un subtil règlement de compte vis-à-vis d'un coucou. L'animal est connu pour faire son nid dans celui des autres... Au temps de Saint-Saëns, la *Ballade des gros dindons* de Chabrier est une satire féroce de la bourgeoisie, et sa délicieuse *Pastorale des cochons roses* se fait discrètement grivoise. Quant à l'humour grinçant de la poésie de Jules Renard, il fera mouche dans les *Histoires naturelles* de Ravel : du « Paon » imbu de lui-même à la « Pintade » hystérique s'y déploie une fine ironie, très caractéristique du style pince-sans-rire de son auteur.

À elles seules, les *Fables* de La Fontaine ont suscité de nombreuses mises en musique, de Clérambault à Charles Aznavour en passant par Offenbach, Gounod ou Caplet. Déjà auteur d'un *Bestiaire* d'après Apollinaire, Poulenc en a fait l'argument de ses *Animaux modèles*, créés à l'Opéra de Paris en 1942. Les allégories animales y ont une portée idéologique, puisqu'en cette période d'Occupation, ce ballet vante la culture de la France éternelle, à la barbe des Allemands. Mais dans l'esprit des *Biches*, qui n'étaient que le nom de jolies jeunes femmes, le Lion est un voyou, les Poules se trémoussent sur un french cancan, et les deux Coqs pourraient pavoiser aux Folies Bergère.

Parfois, l'humour animalier laisse place à un tout autre registre. Dans le *Carnaval des animaux*, il arrive à Saint-Saëns d'abandonner aphorismes et parodies zoologiques pour de véritables petits bijoux poétiques. Avec l'« Aquarium » surgit un ballet aquatique aux couleurs chatoyantes, tandis que la « Volière » se fait chorégraphie aérienne, aussi virtuose qu'élégante. Derrière l'humour et l'ironie apparaît donc une autre voie, quasi naturaliste.

C'est celle que choisit Roussel dans son *Festin de l'araignée*. Ce ballet créé en 1913 puise sa matière dans les *Souvenirs entomologiques* de Fabre. Lors de la création, une immense toile d'araignée verticale occupe le cadre de scène du Théâtre des Arts, prête à capturer les insectes-danseurs ; mais au moment où la prédatrice se prépare à festoyer, elle est elle-même tuée par une mante religieuse. Superbe dans ses diaprures orchestrales, la musique accompagne autant la chorégraphie très mécanique des fourmis que la légèreté du papillon. Que de subtilités instrumentales pour peindre l'éclosion, la danse puis les funérailles de l'éphémère !

Ravel prolonge cette veine naturaliste dans la seconde partie de *L'Enfant et les sortilèges*. C'est au contact de la nature que le héros de l'histoire, un méchant garçon, pourra être libéré de tous ses mauvais démons. Les infernales fantasmagories cessent lorsque l'enfant pousse la porte du jardin : dans une scène campant des arbres, des fleurs, une toute petite mare verte et un gros tronc vêtu de lierre, on entend une « musique d'insectes, de rainettes, de crapauds, de rires de chouettes, de murmures de brise et de rossignols ». Il fait nuit, tous les sens sont en éveil : la chouette ulule à la flûte à coulisse, le rossignol gringotte au piccolo, un chœur d'onomatopées fait discrètement coasser les batraciens. Cette merveilleuse poésie que l'on associe à l'enfance se conjugue à la plus grande fantaisie : la libellule va bientôt chanter dans un style jazzy et les rainettes se mettront à danser du Ravel !

On retrouve la veine de la poésie animalière dans le pittoresque *Renard* de Stravinsky ou dans *Les Aventures de la petite renarde rusée* de Janáček, qui ne craint pas de recourir, au cœur du poulailler, au naturalisme le plus cru. C'est une spécificité du XXe siècle que d'avoir multiplié opéras et contes instrumentaux mettant en scène des animaux, à la destination de la jeunesse. Dans *Brundibar* (Hans Krása), un oiseau, un chat et un chien viennent au secours d'enfants pour se débarrasser d'un homme tyrannique ; Britten livre avec *Noé et le Déluge* un plaisant opéra pour enfants caractérisant finement chaque espèce animale. Dans l'héritage du célèbre *Pierre et le loup* de Prokofiev, et parallèlement à *L'Histoire de Babar* de Poulenc, de nombreux ouvrages pour la jeunesse connaissent des versions musicales, des *Musiciens de Brême* à *La Chèvre de Monsieur Seguin* en passant par *Le Chat botté*. Citons, de façon plus récente, *La Fontaine et le corbeau* d'Isabelle Aboulker, *La Chouette enrhumée* de Gérard Condé ou *L'Œil du loup* de Karol Beffa. Rien d'enfantin, en revanche, dans *La Métamorphose* de Michaël Levinas (d'après Kafka) ou dans *La Mouche* d'Howard Shore (d'après le film de Cronenberg) : il s'agira là d'interroger les continuités parfois inquiétantes du monde humain et du règne animal.

Cygnes et rossignols

Mais il faut revenir – ultime coq-à-l'âne – au *Carnaval des animaux*. On n'a pas dit encore que Saint-Saëns avait exclu une seule et unique pièce de son interdiction d'exécution : « Le Cygne ». Avec ce statut d'exception, la somptueuse confidence pour piano et violoncelle a rapidement fait le tour du monde. Sur un accompagnement pianistique ondulant comme la surface d'un étang paisible, un chant simple se déploie, intime et vibrant. Cheval de bataille des violoncellistes, cet adagio constitue-t-il le vrai testament de Saint-Saëns ?

La légende veut que les cygnes fassent entendre un chant admirable avant de mourir. Aussi incarnent-ils, dans l'imaginaire musical, une forme de perfection. Ils sont l'émanation du lyrisme le plus pur : une merveilleuse allégorie de la musique. Sauf chez Ravel, qui dévoile le mensonge de cette représentation idéalisée, les cygnes sont toujours accompagnés d'une forme de féerie sonore. L'arrivée de Lohengrin dans une nacelle tirée par un cygne est l'une des scènes les plus emblématiques de tous les drames wagnériens. Issu de l'univers du *Märchen*, l'animal fabuleux suscite une fascination quasi irrationnelle, à la fois liée au mysticisme chrétien et à l'esthétique romantique : il est cet ineffable auquel s'identifie la musique elle-même. Chez Sibelius, sur les rives du royaume de la Mort, *Le Cygne de Tuonela* déploie un chant poignant à la couleur plus élégiaque. Ce n'est pas le violoncelle qui l'incarne, comme chez Saint-Saëns, mais un autre instrument à la tessiture centrale, très proche de la voix humaine : le cor anglais, qui possède grâce à ce poème symphonique l'un des solos les plus émouvants de tout le répertoire.

Incarnation du lyrisme, passeur entre deux mondes, le cygne présente des analogies avec le rossignol. Lui siffle au cœur de la nuit, d'un chant pur, idéalisé par les musiciens. On l'oppose souvent au chant mécanique du coucou (la tierce descendante ne retentit pas moins de vingt et une fois dans « Le Coucou au fond des bois » du *Carnaval des animaux* !), et à celui de l'alouette qui, annonçant l'aube, met fin au concert nocturne. Lui-même serait-il à l'origine de l'art des sons ? C'est ce qu'affirmait l'abbé Pluche dans son *Spectacle de la nature* (1747) : la musique serait née du désir d'imiter, avec le gosier, le chant du rossignol[1]. À l'époque, même l'orgue se dotait de jeux de rossignol ! Le siècle des Lumières ne cessa de réfléchir au rapport existant entre le chant de cet oiseau et la mélodie vocale ou instrumentale : il devint le symbole de la musique imitative, et lorsque les

1. Voir M.-P. Martin et C. Savettieri, « La muse et le rossignol », *La Musique face au système des arts*, p. 15 sq.

premiers détracteurs de cette esthétique apparurent, ils assurèrent que « le chant d'une voix ou d'un violon, quelque délicat qu'il soit, ne ressemble point à celui du rossignol[1] ». À son tour, Hanslick put préférer les boyaux des moutons au chant du rossignol !

L'oiseau nocturne incarne en tout cas l'amour mélancolique, et son chant la perfection en musique. Après tous les romantiques et l'abondant répertoire de lieder qu'il a suscité, Reynaldo Hahn choisit de titrer son recueil de piano *Le Rossignol éperdu*, un ensemble au ton très personnel, cousu de fragments intimes et de pièces élégiaques. En Russie, Alabiev en fait le modèle de la voix pure, vocalisante, et le jeune Stravinsky lui consacre un opéra, d'après un beau conte d'Andersen. Ce *Rossignol* devient une allégorie de l'art et de sa liberté. Tout en arabesques sensuelles, son chant lyrique, prétendument « naturel », incarné par une voix de soprano colorature, s'oppose aux sons d'automate rendus par le rossignol mécanique ; il permet alors au roi de Pékin, mourant, de faire fuir la mort. Le rossignol, on l'a compris, est un nouvel Orphée. Un mage reliant ce monde et l'autre monde. Comme la musique elle-même ? Comme tous les oiseaux, peut-être : Messiaen leur consacrera sa vie, les considérant comme les passeurs entre la terre et le ciel. Nous y viendrons, mais pour l'heure, notre intermezzo s'achève.

---

1. A. Morellet, « De l'expression en musique » [1759], *Mercure de France*, novembre 1771.

Éléments

Entre symbolisme et primitivisme

> N'écouter les conseils de personne, sinon du vent qui passe et nous raconte l'histoire du monde.
> DEBUSSY, *La Revue blanche* (1901)

En son temps, la *Tétralogie* de Wagner associait déjà l'Eau (les Filles du Rhin), le Feu (Loge), la Terre (Erda) et l'Air (Donner) : elle était traversée par une poétique des éléments qui fit de l'auteur du *Ring* le père du symbolisme musical. Quelle fut sa descendance ? Au début du XXe siècle, le panorama musical est très diversifié. Plusieurs compositeurs comme Mahler, Scriabine ou Ives ancrent leur art dans la nature pour des raisons philosophiques encore héritées du romantisme. Debussy s'y emploie pour sa part d'une façon plus sensitive. « Qui connaîtra le secret de la composition musicale ? », écrit-il : « Le bruit de la mer, la courbe d'un horizon, le vent dans les feuilles, le cri d'un oiseau déposent en nous de multiples impressions. Et, tout à coup, sans qu'on y consente le moins du monde, l'un de ces souvenirs se répand hors de nous et s'exprime en langage musical[1]. »

1. *Excelsior*, 11 février 1911.

Les musiciens de la seconde école de Vienne, eux, cultivent un formalisme les tenant à distance de toute évocation extérieure, à la notable exception de leurs œuvres vocales, dans lesquelles une lune blafarde peut tenir lieu de décor expressionniste. Le cas de Stravinsky est encore différent. Quoiqu'il ait vigoureusement défendu l'autonomie de l'art des sons, ses œuvres ne sont pas sans lien avec la nature : comme celles de Debussy, elles relèvent parfois d'une poétique des éléments très novatrice. Si l'auteur de *La Mer* est un chantre de l'air et de l'eau, celui du *Sacre du printemps* privilégie la terre et le feu. Entre symbolisme et primitivisme, leurs styles très différents se rejoignent dans une certaine façon de conjurer l'idéologie techniciste contemporaine par la recherche du primordial.

Nature et technologie

Le rapport entre l'homme et la nature n'a cessé de se modifier sous l'effet du développement de la technique. Mais depuis le XIXe siècle, la révolution industrielle a accéléré le phénomène. L'essor des chemins de fer, des bateaux à vapeur puis de l'automobile bouleverse peu à peu la relation de l'homme à son environnement. Les machines modernes fonctionnent au charbon, au gaz, au pétrole puis à l'électricité : la nature devient le nouvel aliment du progrès technique. Souvent réduite à un simple gisement de ressources, elle est exploitée par des civilisations industrielles qui n'ont pas saisi d'emblée qu'en modifiant trop rapidement l'équilibre de leur environnement, elles risquaient d'hypothéquer leur propre devenir. En attendant, le développement technologique produit des médiations qui s'interposent de façon croissante entre l'homme et la nature. L'océan est désormais peuplé de paquebots à vapeur (Honegger, *Pacific 231*), les champs s'ouvrent à la productivité (Milhaud, *Les Machines agricoles*) et les paysages se couvrent d'usines (Mossolov, *Les Fonderies d'acier*). Même au sein du *Concert champêtre* de Poulenc, les sonneries de la ville ne sont jamais loin.

Baudelaire avait été le premier à chanter la modernité urbaine, loin d'une nature qu'il considérait comme une marâtre injuste et cruelle, laide de surcroît. À l'aube d'un XXe siècle placé sous le signe du machinisme industriel, le futurisme italien achève de liquider l'héritage du romantisme. Dans *L'Art des bruits*, Russolo lance avec provocation : « Nous prenons infiniment plus de plaisir à combiner idéalement des bruits de tramways, d'autos, de voitures et de foules criardes qu'à écouter encore *L'Héroïque* ou *La Pastorale*. » Dans ce sillage, Satie intègre pistolet et machine à écrire dans l'orchestre de *Parade*, et pour son *Ballet mécanique*, Antheil utilise hélices d'avion, sonnettes électriques et klaxons de voitures. Du *Pas d'acier* de Prokofiev au *Boléro* de Ravel, dont la mécanique orchestrale est contemporaine du machinisme dénoncé par Charlie Chaplin dans

Les Temps modernes, le son des moteurs et le bruit des turbines fascinent les musiciens.

Pour une certaine avant-garde, tout se passe comme si les créations techniques pouvaient remplacer les anciens modèles naturels. En 1954, Varèse déclarera même que la nature, pour lui, c'est la ville de New York ! Avec les vrombissements de leurs automobiles et le fracas de leurs sonorités industrielles, les métropoles modernes ont infléchi le cours de l'histoire de la musique : saturation des effectifs sonores, triomphe des percussions, apologie des rythmes répétitifs, esthétique « motorique ». Dans cet esprit, Stravinsky fut l'un des premiers musiciens à écrire pour des instruments mécaniques ; quant à Debussy, il se dit fasciné par le bruit des trains, « plus doux que celui des vagues ». La locomotive aurait-elle détrôné le rossignol ?

Pas tout à fait : Debussy fait ici preuve d'ironie. Comme dans la peinture du Douanier Rousseau et comme chez plusieurs de ses contemporains, une douloureuse nostalgie traverse son œuvre : celle d'une nature primordiale, ne portant point la trace de la civilisation. Aux bruitismes des modernes s'opposent alors d'antimodernes retours à la nature, qui prennent la forme d'un ressourcement au cœur des forces élémentaires.

Pour Debussy, l'air est premier, dans la mesure où son caractère invisible, impalpable et immatériel entre en correspondance avec la nature même du son : « Je voudrais que [la musique] eût l'air de sortir de l'ombre et que, par instants, elle y rentrât, que toujours elle fût discrète personne. La musique est une mathématique mystérieuse dont les éléments participent de l'infini. Elle est responsable du jeu des courbes que décrivent les brises changeantes ; rien n'est plus musical qu'un coucher de soleil. Pour celui qui sait regarder avec émotion, c'est la plus belle leçon de développement écrite dans ce livre pas assez fréquenté par les musiciens, je veux dire : la nature » (*Musica*, mai 1903).

Le grand livre de la nature est autrement plus vivifiant que les manuels de contrepoint ! Pour Debussy, il est le seul professeur de composition véritable : un antidote à l'enseignement académique. L'auteur de *La Mer* ne cesse de regretter que « les musiciens n'écoutent que la musique écrite par des mains adroites, jamais celle qui est inscrite dans la nature », et il n'hésite pas à lancer le pavé dans la mare : « Voir un lever de soleil est une expérience plus précieuse que d'écouter la *Symphonie pastorale* » !

Aussi rêve-t-il d'une musique aussi libre que l'air. Peut-être est-ce la raison pour laquelle le plus insaisissable des éléments est le sujet de plusieurs de ses pièces pianistiques (*Ce qu'a dit le vent d'ouest*,

Le Vent dans la plaine) ou orchestrales (*Nuages, Le Dialogue du vent et de la mer*). Sans compter sa magnifique *Syrinx* qui exalte l'instrument du souffle par excellence : la flûte. Seul l'Italien Sciarrino, à l'autre bout du siècle, sera à ce point hanté par le sujet, comme en témoignent *Addio case del vento* et *Lettera degli antipodi portata dal vento* pour flûte, *Due risvegli e il vento* pour quintette instrumental et voix de soprano, *Waiting for the wind* pour voix et gamelan, *Scena di vento* et *Vento d'ombra* pour ensemble.

L'Art poétique de Verlaine a sans doute mis Debussy sur la voie : « Que ton vers soit la bonne aventure éparse au vent crispé du matin, qui va fleurant la menthe et le thym. » Il troque à son tour les miasmes de la rhétorique contre les effluves du plein air. Cette leçon de liberté rappelle la démarche contemporaine des peintres impressionnistes. Eux aussi délaissent l'atelier au profit de la peinture de chevalet, en extérieur. Au cœur de la nature, ils vivifient leur art en l'ouvrant à des expériences sensorielles inédites : ils réussissent à capter des jeux de lumières encore jamais piégés dans l'espace d'une toile. Comme son aîné Chabrier, Debussy semble être de même un merveilleux musicien « de chevalet ». Non qu'il compose réellement en plein air : mais il ne cesse de métamorphoser, à travers son œuvre, ses propres impressions sensorielles au contact de la nature. En faisant du son (et non de la forme) le fondement de son art, de même que les impressionnistes font de la couleur (et non de la ligne) la nouvelle pierre angulaire de la peinture.

Bien des pages de Debussy dialoguent avec l'univers pictural : *Brouillards* fait penser à l'art de Turner, *Des pas sur la neige* réveille les paysages hivernaux de Sisley et *Feuilles mortes* évoque quelque toile de Corot. La médiation entre musique et nature est aussi d'ordre poétique, comme dans *Les sons et les parfums tournent dans l'air du soir*, un prélude pianistique fondé sur un très beau poème de Baudelaire. L'air s'y trouve associé aux synesthésies, c'est-à-dire aux jeux de résonances entre les perceptions sensorielles. Celles-ci ont toujours fasciné Debussy : dans un article de 1901, il évoque encore la « collaboration mystérieuse de l'air, du mouvement des feuilles et du parfum des fleurs avec la musique ».

Cette attitude n'est pas exempte de mysticisme. Le 26 janvier 1911, il écrit dans la revue *Comoedia* : « Je me suis fait une religion de la mystérieuse nature. Je ne pense pas qu'un homme revêtu d'une robe abbatiale soit plus près de Dieu, ni qu'un lieu dans la ville soit plus favorable à la méditation. Devant un ciel mouvant, en contemplant, de longues heures, ses beautés magnifiques et incessamment renouvelées, une incomparable émotion m'étreint. La vaste nature se reflète en mon âme véridique et chétive. » À la différence des romantiques, cependant, Debussy ne lie pas la nature à la mise en scène du moi : évacuant les affects expansifs, il la vide de toute présence humaine et il se recentre sur ses manifestations primordiales.

Or, pour lui, nul autre élément que l'eau ne révèle le mystère du monde.

L'eau et les rêves

Il n'est pas le seul à se passionner alors pour les évocations aquatiques. Gabriel Dupont a livré avec *La Maison dans les dunes* une série de marines pianistiques : « Voiles sur l'eau », « Le soleil se joue dans les vagues » ou encore « Houles ». Ravel vient lui-même de s'imposer en 1902 avec ses *Jeux d'eau* pour piano. Placée sous l'égide d'un vers d'Henri de Régnier – « Dieu fluvial riant de l'eau qui le chatouille » – cette pièce privilégie les registres clairs du clavier (le médium et l'aigu). Elle est tout entière jaillissement, tintement, ruissellement, bien loin des anciennes musiques fluviales de l'époque baroque (Haendel, *Watermusic*) ou des barcarolles romantiques évoquant le balancement des flots. Dans l'héritage lisztien des *Jeux d'eau à la villa d'Este*, le modèle aquatique incite Ravel à penser flux et timbre avant mélodie et harmonie : on le retrouvera dans *Une barque sur l'océan* et dans *Ondine*.

Lui aussi auteur d'une *Ondine*, Debussy a multiplié les pièces pianistiques liées à l'eau : *Jardins sous la pluie*, *L'Isle joyeuse*, *Reflets dans l'eau*, *Poissons d'or*, *Voiles*, *La Cathédrale engloutie*... L'élément liquide y est rendu par un jeu systématique sur les résonances : la pédale du piano actionnant la levée des étouffoirs, les harmonies semblent se fondre, les sons se répandent comme des ondes, le discours revêt une incroyable ductilité. La poésie stimule souvent l'imaginaire aquatique de Debussy, comme le montrent ses mélodies *Jets d'eau*, *De grève* ou *Le Tombeau des Naïades* ; le chef-d'œuvre en la matière reviendra néanmoins à Gabriel Fauré, qui signera avec *L'Horizon chimérique* un superbe cycle de quatre marines.

Mais la principale source d'inspiration de Debussy reste la mer : « [Elle] me fascine au point de paralyser mes facultés créatrices, déclare-t-il dans un entretien de 1914. D'ailleurs, je n'ai jamais pu écrire une page de musique sous l'impression directe et immédiate de cet énorme sphinx bleu. » Ses longs séjours en Normandie, à Dieppe et à Pourville, ont nourri des sensations qui ont alimenté par la suite l'écriture de *La Mer*, son grand triptyque orchestral. La première des « trois esquisses symphoniques », *De l'aube à midi sur la mer*, s'offre en un merveilleux lever du jour (Ravel en livrera un non moins fameux dans son ballet *Daphnis et Chloé*) ; la deuxième, *Jeux de vagues*, est une marine pointilliste, tandis que la dernière, *Dialogue du vent et de la mer*, plonge l'auditeur au cœur d'une houle tourmentée.

Dans un article publié au lendemain de la création, le critique Pierre Lalo fulmine : il n'a ni entendu, ni vu, ni senti la mer ! La forme novatrice de l'œuvre, décrite ultérieurement par Boucourechliev comme « une succession d'instants sans fin », explique le désarroi des contemporains. Habitués à d'autres modes de représentation, ils ne comprennent pas qu'à la façon d'un Monet, Debussy a substitué à l'approche figurative traditionnelle un rapport plus sensitif à la nature.

Au bord d'un littoral, un simple promeneur attentif peut s'en apercevoir : le mouvement des vagues est fait d'autant de régularité, dans le jeu de va-et-vient, que d'insensibles irrégularités. Plus que tout autre élément, l'eau est mobile, à la fois rythme et suggestion de rythme, ainsi que l'a montré Messiaen. Le terme même de « rythme » est d'ailleurs forgé sur la racine indo-européenne du verbe *couler*, qui décrit l'action de l'eau : il renvoie à l'idée de périodicité irrégulière comme à celle de variation perpétuelle. Or l'intérêt de Debussy pour la mer est d'ordre rythmique. Afin de reproduire le mouvement du ressac, il renouvelle l'écriture musicale par des régimes de périodicité et des superpositions métriques particulièrement complexes. « À force de dominer la nature en l'aimant, commente Messiaen, Debussy en a capté l'aspect mouvant, la perpétuelle ondulation et, grâce à cela, la transportant en sa musique, il fut l'un des plus grands rythmiciens de tous les temps[1]. »

Mais la mer n'est pas seulement un formidable professeur de rythme. Elle est aussi ce lieu primordial qui nourrit une poétique du mystère. Aussi Debussy a-t-il pris en horreur la nouvelle mode des bains de mer. Trop triviale pour lui, comme le montre cette lettre écrite près de Dieppe en 1906 :

1. Messiaen, VI, p. 15.

« Me revoici avec ma vieille amie la Mer ; elle est toujours innombrable et belle. C'est vraiment la chose qui vous remet le mieux en place. Seulement on ne respecte pas assez la Mer... il ne devrait pas être permis d'y tremper des corps déformés par la vie quotidienne ; mais vraiment tous ces bras, ces jambes qui s'agitent dans des rythmes ridicules, c'est à faire pleurer les poissons. Dans la Mer il ne devrait y avoir que des Sirènes ; et comment voulez-vous que ces estimables personnes consentent à revenir dans des eaux si mal fréquentées ? »

Les voix des sirènes résonnent dans le troisième de ses *Nocturnes*, pour grand orchestre et chœur de femmes à bouches fermées : toujours orthographiée avec une majuscule, la Mer debussyste est bel et bien revêtue d'une aura mythique. Elle renvoie à l'espace de l'inexprimable, à la matrice originelle, à quelque voix primordiale. « Tous les chemins mènent à l'eau » écrivit pour sa part Murray Schafer – sans doute est-ce la raison pour laquelle celle-ci n'a cessé de fasciner les artistes : « Continus ou discontinus, dans la mer, les sons se fondent en une unité primordiale. Les rythmes de l'océan sont multiples : infrabiologiques – car l'eau change de hauteur et de timbre plus vite que le pouvoir séparateur de l'oreille n'est capable de le distinguer ; biologiques – le rythme des vagues est celui du cœur et des poumons, le rythme des marées, celui du jour et de la nuit ; suprabiologiques enfin – c'est l'éternelle et inextinguible présence de l'eau[1]. »

---

1. Schafer, p. 40.

Quelques musiques aquatiques des XIXe et XXe siècles

1828 Mendelssohn : *Mer calme et heureux voyage* (ouverture)
1851 Rubinstein : *Symphonie n°2 « Océan »*
1874 Smetana : *La Moldau* (poème symphonique)
1877 Liszt : *Jeux d'eau à la villa d'Este* (piano)
1881 Joncières : *La Mer* (ode-symphonie)
1889 Glazounov : *La Mer troublée* (poème symphonique)
1896 Dvořák : *L'Ondin* (poème symphonique)
1901 Ravel : *Jeux d'eau* (piano)
1903 Decaux : *La Mer* (piano)
1906 Varèse : *Apothéose de l'océan* (poème symphonique)
1908 Debussy : *La Mer* (triptyque symphonique)
1910 Vaughan Williams : *A Sea Symphony*
1914 Sibelius : *Les Océanides* (poème symphonique)
1923 Honegger : *Prélude pour la Tempête de Shakespeare* (orchestre)
1937 Messiaen : *Fêtes des belles eaux* (6 ondes Martenot)
1941 Hanns Eisler : *Quatorze manières de décrire la pluie* (quintette)
1944 Britten : *Four Sea Interludes from Peter Grimes*
1972 Grisey : *D'eau et de pierre* (orchestre de chambre)
1975 Murail : *Couleurs de mer* (15 instruments)
1979 Dusapin : *La Rivière* (orchestre)
1980 Mâche : *Phonographies de l'eau* (électronique)
1989 Takemitsu : *Toward the Sea III* (flûte, alto et harpe)
1994 Xenakis : *Sea Nymphs* (chœur)
1998 Tan Dun : *Water Concerto* (eau et orchestre)
2004 Pécou : *Passeurs d'eau (cantate amazonienne)*
2012 Mantovani : *Jeux d'eau* (concerto pour violon)

Symbole du changement perpétuel, en raison du mouvement continu qui l'anime, la mer est aussi, par sa permanence, symbole d'éternité. Mère de tous les mythes, et peut-être de toute vie, elle constitue une forme de conscience immémoriale que Debussy a le premier évoquée avec une telle force. De *La Cathédrale engloutie* à *Pelléas et Mélisande*, il développe une poétique des profondeurs qui lie élément aquatique, mystères de l'être et tréfonds de la conscience. L'écoute de sa musique a-t-elle marqué la philosophie de Jung, qui associe l'eau et l'inconscient ? Ou l'essai de Bachelard, *L'Eau et les Rêves* ? Ce philosophe est célèbre pour avoir livré une série d'études sur l'imaginaire des éléments primordiaux, au cours des décennies 1930 et 1940, tout à fait dans l'esprit de son temps. Et celle-ci débutait par une *Psychanalyse du feu*.

Le feu de la modernité

Les romantiques avaient abordé la question par le seul biais des feux follets, popularisés par les récits fantastiques alors très en vogue. Leur légèreté et leur rapidité avaient fait d'eux la métaphore de la virtuosité sulfureuse. Des *Feux d'artifice* pianistiques de Debussy à la fantaisie pour orchestre de Stravinsky *Feu d'artifice*, les jeux ignés favorisent toujours l'effervescence, l'agilité, le chatoiement du coloris sonore : le feu crépite *scherzando*. Il s'accompagne parfois de pyrotechnies vocales : dans *L'Enfant et les sortilèges* de Ravel, il « réchauffe les bons » et « brûle les méchants » en attisant les coloratures d'une voix de soprano.

Son ambivalence symbolique est due à son pouvoir tantôt destructeur, tantôt purificateur. Il se trouve parfois encore lié à la sorcellerie, comme dans le *Feuersnot* de Strauss ou *L'Ange de feu* de Prokofiev : il réveille alors le souvenir ancestral des bûchers de sorcières ou celui des flammes de l'Enfer. Mais depuis l'incendie parachevant le *Crépuscule des dieux* de Wagner, il est surtout associé à l'idée de régénération. C'est par lui qu'un monde nouveau peut advenir. Les peintres fauvistes enflamment bientôt leurs toiles de couleurs orangées et, à leur manière, la plupart des avant-gardes cherchent à incendier l'art moderne dans une semblable entreprise régénératrice. Avec *L'Oiseau de feu*, en 1910, Stravinsky se situe dans la même veine : l'animal fabuleux du folklore russe peut s'y entendre comme une belle métaphore de l'art, flamboyant et libre, à la barbe de tous les sorciers qui souhaitent l'enfermer dans une cage.

Un an plus tard, *Prométhée ou le Poème du Feu* constitue le testament d'un autre musicien russe, Alexandre Scriabine. Cette partition symphonique requérant un utopique clavier de lumières synthétise tout le mysticisme de son auteur : au-delà même de l'embrasement final, le feu prométhéen y incarne sa tentative de régénérer la musique en une nouvelle synthèse des arts. Moins ambitieuse mais plus célèbre, une « Danse rituelle du feu » retentit au cœur du ballet de Manuel de Falla *L'Amour sor-*

cier : cette scène d'exorcisme dans l'univers gitan est intimement liée à une esthétique, primitiviste, qui traverse alors tous les arts.

La terre primitiviste

Celle-ci concerne davantage la terre, et elle trouve dans *Le Sacre du printemps* son incarnation la plus achevée. Pour la saison des Ballets russes de 1913, Stravinsky imagine des « tableaux de la Russie païenne » en deux parties. La première commence par l'adoration rituelle de la terre, dans la Russie ancestrale, au moment de l'arrivée du printemps : les danses propitiatoires se succèdent. Dans la seconde partie, des adolescentes sont conduites sur les pierres consacrées, au cœur des collines et au milieu de la nuit : l'une d'elles est élue, glorifiée, puis sacrifiée de façon barbare.

S'emparant d'un thème vieux comme le monde, le retour du printemps, Stravinsky le ressource à une énergie primordiale qui n'a plus rien à voir avec les reverdies anciennes, où la saison nouvelle annonçait le renouveau des amours, ni avec l'esthétique de l'imitation (comme dans les *Quatre Saisons* de Vivaldi), ni avec celle, romantique, du paysage-état d'âme (à la façon de la *Première Symphonie* de Schumann, dite « du Printemps »). Stravinsky a dû être marqué par la violence du printemps russe, aussi bref que brusque, à la faveur duquel la nature s'éveille brutalement après un hiver long et sévère.

La rigueur du climat y est à la mesure de la cruauté des rituels inventés par les civilisations ancestrales.

La partition du *Sacre* suscita un scandale mémorable. La rythmique y est âpre, hachée, répétitive : elle structure la pensée musicale, elle divise l'espace sonore, elle répartit la texture en blocs massifs ou en strates superposées. Sa dimension percussive corrobore une chorégraphie très « terrienne », loin de l'ancienne technique aérienne des pointes : le sol ne cesse d'être tapé, foulé, piétiné sans vergogne. On le voit, cette nature primordiale légitime la force de transgression véhiculée par l'art moderne. Car le primitivisme n'est pas nostalgie d'une époque révolue mais récupération d'une authenticité perdue et ressourcement utopique à un passé dans lequel l'homme et la nature étaient liés par une même énergie vitale. Récupérer cette énergie élémentaire permettait alors de sauver l'art de l'atonie dans laquelle, pensait-on, il était tombé.

Stravinsky s'éloigna rapidement de cette esthétique, mais elle prospéra dans l'entre-deux-guerres, du style souvent rugueux et terrien d'un Bartók ou d'un Martinů à la musique incantatoire de Jolivet. Dans *Mana* par exemple, ce dernier s'intéresse à divers fétiches : chaque objet (*La Vache*, *La Chèvre*, *L'Oiseau...*) suscite une musique rêvant de se faire rituel magique, comme s'il s'agissait d'évoquer quelque divinité chthonienne. Dans *La Création du monde*, le style de Milhaud est moins tellurique mais il cherche lui aussi à s'enraciner de façon fantasmatique dans une nature originelle. Ce ballet primitiviste conçu avec Blaise Cendrars se fonde sur des récits cosmogoniques africains : tandis que Fernand Léger s'inspire de masques nègres pour confectionner décors et costumes, c'est le jazz qui est convoqué par Milhaud pour ressourcer symboliquement la musique à l'énergie primordiale. Parce qu'il accorde une place importante à l'improvisation, le jazz serait-il plus « naturel » que la tradition savante ? C'est ce que l'on affirme alors, même s'il n'en est rien, en réalité, tant ce répertoire est lui-même élaboré, et tant la recherche du « naturel » en art relève toujours de l'utopie.

Environnements

Du plein air à l'écologie sonore

Pourquoi n'y aurait-il pas concert
en dehors du concert ?
Pierre MARIÉTAN, *L'Environnement sonore* (2005)

Le cœur du XXe siècle est le théâtre d'un affrontement entre deux écoles – le sérialisme et le néoclassicisme – qui s'intéressent peu à l'univers extramusical. Après la Seconde Guerre mondiale, le courant dominant est celui de l'école de Darmstadt : la génération des compositeurs nés autour de 1925 (Maderna, Boulez, Stockhausen) cherche à s'affranchir de toute rhétorique expressive héritée du romantisme. Elle travaille autour de séries de douze sons à partir desquelles s'élaborent des structures rationnelles qui déterminent l'ensemble du matériau. Or c'est en réaction à ce formalisme, mettant le monde extérieur à distance, qu'un certain nombre d'artistes font entendre une autre voix. Un nouveau retour à la nature s'esquisse alors. Il prend des visages inattendus, car de nombreuses questions surgissent : comment envisager le rôle du compositeur, à l'heure où les nouveaux outils d'enregistrement permettent de capter et de diffuser aisément les sons de la nature ? Le plein air peut-il être le théâtre de concerts d'un nouveau genre ? Les artistes ont-ils un rôle à jouer, au cœur de sociétés qui commencent à se soucier de la préservation de leur environnement ?

Ornithologue et compositeur

Avec *Mode de valeurs et d'intensités*, Messiaen semble n'avoir inventé le sérialisme intégral que pour mieux le rejeter. De quoi se faire respecter de l'avant-garde et retourner à ses véritables amours. Comme sa foi catholique, et enracinée en elle, sa passion pour la nature lui fut transmise par sa mère, la poétesse Cécile Sauvage. « Pour moi, la vraie, la seule musique a toujours existé dans les bruits de la nature, confia-t-il un jour à Antoine Goléa. L'harmonie du vent dans les arbres, le rythme des vagues de la mer, le timbre des gouttes de pluie, des branches cassées, du choc des pierres, des différents cris d'animaux sont pour moi la véritable musique. »

On croirait lire une confidence de Debussy ! Ce dernier voulait n'entendre de conseils que du vent qui passe : Messiaen affirme, pour sa part, avoir tout appris des oiseaux. Mais tandis que Debussy privilégiait une forme de rêverie sur les éléments primordiaux, son cadet choisit de pousser jusqu'à l'encyclopédisme sa connaissance de la nature. Au point de s'autoproclamer « compositeur-rythmicienornithologue » ! Ses premières œuvres retranscrivaient déjà librement des chants d'oiseaux, de façon subjective et idéalisée : au lendemain de la Seconde Guerre mondiale, il choisit de se mettre totalement à leur écoute.

Il entreprend de collecter les chants d'oiseaux, en faisant preuve d'une rigueur et d'une précision qui renouent avec l'érudition des taxinomies du XVIIIe siècle. Pour rédiger son monumental *Traité de rythme, de couleur et d'ornithologie*, il voyage, écoute, observe, note, enregistre, transcrit, collecte, classe. La patience et la minutie impressionnent, d'autant qu'il ne s'intéresse pas seulement à la France, mais aux principaux écosystèmes de la planète, de l'Amérique au Japon. Répartis par zones géographiques, les oiseaux le sont également par milieux et par paysages : pour la section française se succèdent, entre autres, haute montagne, forêts de montagne, bois, routes de campagne, vignes, prés et champs, jardins et parcs, villes, déserts, garrigues et maquis, roseaux, étangs, bords de rivières et terres salées, océans et côtes marines. Messiaen ne se contente pas de notations musicales : il décrit les espèces, les plumages, les couleurs, les sons et les odeurs alentour, le jeu des lumières, les détails de la végétation... Avec chaque oiseau, c'est un vaste environnement qui prend vie.

Le plein air devient donc un vrai laboratoire de composition. Au cœur des années 1950, les œuvres de Messiaen sont exclusivement nourries de ses recherches ornithologiques : *Le Réveil des oiseaux* concentre les douze heures d'une journée printanière, de minuit où seul le rossignol se fait entendre jusqu'au silence de midi, en passant par la spectaculaire polyphonie qui retentit peu à peu au lever du soleil. *Oiseaux exotiques* poursuit la même veine : piano et orchestre font se rencontrer librement diverses espèces comme le garrulaxe d'Himalaya, le mainate hindou, le verdin de Malaisie, le troupiale de Baltimore, le liothrix de Chine, la grive de Californie, le shama des Indes... Mais l'entreprise la plus démesurée reste celle du *Catalogue d'oiseaux*, pour piano seul : la partition se présente comme une vaste fresque des espèces de France, assortie d'annotations encyclopédiques. « Au début et à la fin de l'œuvre, explique Messiaen, les grandes forces naturelles, la montagne et la mer : première pièce, la haute montagne, avec les trois glaciers de la Meije en Oisans et le *Chocard des Alpes* ; dernière pièce, le grand océan, avec l'île d'Ouessant, dans le Finistère, et le *Courlis cendré.* » Si cher au compositeur, le pays de la Meije accueille aujourd'hui le célèbre festival qui porte son nom.

Dans toutes ces œuvres, les chants d'oiseaux déterminent l'ensemble des paramètres : mélodies, rythmes, harmonies, timbre, forme. Pour devenir matériau musical, ils subissent différentes transformations qui contribuent à leur stylisation (ralentissement du *tempo*, transposition, élargissement des intervalles, orchestration). Par la suite, Messiaen prendra toujours plus de liberté avec ces motifs ornithologiques, qu'il mariera à d'autres formes d'inspiration musicale. Mais jusqu'à son magistral opéra *Saint François d'Assise*, consacré à une figure souvent appelée « le saint aux oiseaux », ses œuvres sont nourries des voix de ceux qu'il considérait comme des passeurs spirituels, ses « petits amis ailés » ou ses « petits serviteurs de l'immatérielle joie ». Alliant prolifération sonore, complexité rythmique et jubilation mystique, son style « fouillis d'oiseaux » reste aussi séduisant qu'inimitable.

Et le micro fut

Au cours de ses travaux, Messiaen enregistra de nombreux chants d'oiseaux mais il établit toujours une stricte séparation entre sa musique et les captations sonores réalisées en extérieur. Celles-ci constituaient pour lui de simples documents d'appoint facilitant la transcription : en ralentissant la vitesse de lecture des bandes, il pouvait gagner en précision dans la notation. Mais pourquoi ne pas inscrire les sons de la nature *au sein même de l'œuvre* ? Désormais, les possibilités techniques le permettent. L'Italien Respighi l'a tenté le premier dans ses *Pins de Rome*, dès 1924 : le troisième mouvement de ce poème symphonique prévoit de diffuser un véritable chant de rossignol, enregistré par un gramophone !

Au-delà de l'intérêt pittoresque et anecdotique surgit une foule de questionnements : si l'environnement sonore peut désormais pénétrer directement dans l'œuvre, la technique de l'enregistrement n'est-elle pas vouée à métamorphoser le sens de la musique ? À la même époque, la photographie réévalue de façon considérable les fonctions de la peinture, pour les mêmes raisons. Paysages picturaux et musicaux ont-ils encore un sens, à l'heure de la caméra et du micro ? À quoi bon imiter son environnement immédiat, si la technique surpasse l'art ? Que peuvent devenir les relations entre la nature et l'art, une fois celui-ci libéré, par la technologie, de sa traditionnelle fonction mimétique ?

On répond alors à ces interrogations de manière radicale, et de deux façons opposées : ou bien en coupant la musique de toute référence à la nature (c'est le projet de l'avant-garde sérielle, qui entend fonder la légitimité de la musique sur son autoréférentialité) ; ou bien en faisant de la nature non plus un simple motif, mais la matière même des œuvres ! C'est toute l'aventure de la musique concrète : au lendemain de la guerre, ce courant amorcé par Pierre Schaeffer et Pierre Henry rompt avec une longue tradition d'écriture (celle de la partition, notée par le compositeur et exécutée par des interprètes), au profit d'une simple mise en forme de sons bruts, enregistrés sur bande, choisis, manipulés et composés par montage.

Or la nature, autant que les environnements urbains, fournit un formidable laboratoire de sonorités : ruisseaux, vents, bambous, pierres ou cris d'animaux deviennent le matériau même de la musique. « Mon premier choc n'a pas été Messiaen, témoigne Pierre Henry, cela a été la nature. » Tantôt il l'introduit dans son studio d'enregistrement, comme lorsqu'il y apporte des brassées de roseaux pour en extraire des sons ; tantôt c'est le studio qui s'exporte en plein air, quand il installe par exemple des barrages sur de petits cours d'eau, pour en faire varier le débit, donc les sonorités, qu'il enregistre sur un matériel portatif. Dans *Futuristies* (1975), son matériau n'est encore fait que de sons naturels : coquillages, galets, cailloux, tronc d'arbre creusé, feuilles de forêts, papiers et cartons...

Ainsi occupées à sculpter les sons, ces œuvres remettent en cause la prééminence des notes musicales, fondement de l'art occidental depuis le Moyen Âge. Elles brisent également l'ancienne opposition entre musique et bruit. On est bien en droit de s'interroger : entrechoquer des coquillages, froisser du papier et enregistrer des ruissellements, est-ce faire de la musique ? La question est complexe, car si l'on définit le bruit comme tout son de hauteur non repérable, on s'aperçoit qu'il a été intégré de longue date dans les effectifs instrumentaux : des tôles ondulées aux machines à vent en passant par les cloches de vaches, les percussions ont souvent joué depuis l'époque baroque un rôle bruitiste. La musique concrète ne fait, en somme, qu'élargir le champ en traitant la nature comme un vaste orchestre de percussions.

Impossible, donc, de dresser une frontière étanche entre musique et bruit : cette notion reste avant tout subjective. On sait bien, aujourd'hui, que la musique des uns peut être le bruit des autres ! Aussi est-il plus sage de considérer le bruit comme tout son qui n'est pas désiré. En ce sens, l'intentionnalité suffit à définir le caractère artistique du matériau. C'était déjà la leçon donnée par Marcel Duchamp, certes sur le mode de la provocation, lorsque le fameux plasticien fit d'un urinoir une œuvre artistique. Si l'art ne réside pas dans les choses, mais dans le regard ou dans l'intention, alors tous les sons de la nature sont potentiellement musicaux. La musique concrète n'en ignore aucun, mais leur utilisation est rarement littérale. Susceptibles d'être décontextualisés, arrachés à leur environnement naturel, ils sont alors remodelés et détournés de leur sens premier.

Une nature de synthèse

Les effets de surprise sont démultipliés lorsque des instrumentistes dialoguent en temps réel avec une bande enregistrée. L'univers cinématographique avait déjà permis de faire se rencontrer bruitages et musiques écrites : pour *Le Tempestaire* de Jean Epstein (1948), Yves Baudrier mêlait par exemple sons naturels – mer, vagues, vent – et partie d'ondes Martenot. Or les procédés de superposition expérimentés dans les films connaissent de nombreux prolongements purement musicaux. Dès *Rituel d'oubli* (1969), François-Bernard Mâche utilise des sons bruts d'origine très variée : matière inorganique (bruits de grotte marine, bulles effervescentes), cris d'animaux (bourdonnement d'abeilles, appels d'un calao, pépiement de poussins), sonorités humaines (cris, langues archaïques ou lointaines)... Ces sonorités se trouvent intégrées au sein de l'élaboration instrumentale qui en dérive : il n'est parfois plus possible de distinguer ce qui appartient à l'enregistrement et ce qui relève de la partition. Dans *Kassandra* (1977), le fracas d'un orage se trouve insensiblement relayé par les sons de l'orchestre. L'auditeur hésite : qu'est-ce qui émane de la nature ? Qu'est-ce qui relève des instruments ? De tels mirages sonores tendent à effacer les frontières entre art et artifice, comme celles entre nature et culture.

L'hybridation de la partition avec les éléments naturels se trouve renforcée par l'usage des techniques électro-acoustiques. Désormais, la machine peut non seulement enregistrer, mais aussi produire des sons. On pensera peut-être que l'invention de sonorités de synthèse éloigne le musicien de la nature. Incontestablement, la technologie triomphe. Mais la musique des machines est-elle plus « artificielle » que celle qui s'est déployée depuis la Renaissance ?

Rien n'est moins sûr : car loin d'être inscrit dans la nature, le son du violon ou de la flûte émane d'instruments créés par l'homme, tout comme le sont les générateurs électriques et les ordinateurs. Dans leur fabrique de sons, par ailleurs, les musiciens électroacoustiques imitent à leur tour le monde sonore extérieur : il leur arrive de recréer par la technologie le ruissellement de l'eau, le sifflement du vent, le crépitement du feu, etc. Or certains sons de synthèse peuvent sembler à l'oreille plus « naturels » que des sons captés en plein air ! Une vraie aubaine pour tous les studios de cinéma, qui constituent des bibliothèques d'effets sonores pour le bruitage des films…

La musique électroacoustique aboutit donc à une fusion insolite entre musique et nature. Michel Chion et Guy Reibel estiment même qu'elle « a permis aux musiciens de renouer avec la *nature*, dans son sens le plus large, un contact perdu par la musique instrumentale, [alors] empêtrée dans ses problèmes d'écriture et de virtuosité[1] ». Volontairement polémique, le propos semble répondre aux piques d'un Pierre Boulez, qui avait pour sa part accusé la musique concrète, dans ses premières années, de n'être qu'un ramassis d'effets spéciaux… Assez peu pour lui !

Quand elles ne s'intéressent pas à la nature des sons (Parmegiani, *De Natura sonorum*), de nombreuses œuvres électroniques revêtent un caractère paysagiste, à la façon de celles de Bayle (*Tremblement de terre très doux*, *Toupie dans le ciel*, *Les Couleurs de la nuit…*). Certaines s'intéressent même à des écosystèmes ou à des environnements spécifiques qu'il est possible de localiser sur une carte. Aussi proposera-t-on au lecteur, à ce stade, un nouveau périple géographique. Celui-ci nous conduira à présent aux quatre coins du globe, avec pour guides quelques œuvres d'un large demi-siècle qui, avec ou sans électroacoustique, entreprirent de marier l'art et la nature.

1. Chion, Reibel, p. 14.

TOUR DU MONDE

Le voyage commence en France, au bord de la mer. Avec *Sud* (1985), Jean-Claude Risset nous conduit au cœur des calanques de Marseille. On entend le flux et le reflux de la mer par temps calme, le clapotis coloré par des cavités rocheuses, les sons lointains de voix et d'oiseaux, le crissement d'insectes ; plus tard viendront le rugissement d'une tempête de mistral, les craquements de graines dans la chaleur, les stridulations nocturnes de grillons. À cet environnement marseillais s'opposent très vite des sons de synthèse, mais les deux univers vont être appelés à se croiser, le traitement par ordinateur permettant l'hybridation onirique du matériau.

Nous traversons la Méditerranée. Pour *Jeïta* (1969), François Bayle a posé ses micros dans la grotte du même nom, près de Beyrouth au Liban. Conçue pour l'ouverture au public de cette curiosité naturelle, l'œuvre électronique métamorphose les sonorités de ruissellements et de clapotis en « murmure des eaux », « cloches fossiles », « murmure des abeilles de pierre » ou « bouche d'ombre » : de quoi nous inviter à poursuivre notre voyage imaginaire. Nous passons alors le canal de Suez, et par la mer Rouge gagnons l'océan indien. À Madagascar nous attend *L'Enfant des îles* de Jean-Louis Florentz (2002) : un poème symphonique d'esprit traditionnel et de superbe facture. Nous y sommes accueillis avec des « brises marines » enchanteresses ; des « sylves insulaires » nous font ensuite partager l'incroyable expérience vécue par l'ethnomusicologue et compositeur près d'un lagon malgache. Une longue incantation de flûte plante le décor, entre mangrove et récifs de corail, et bientôt surgit un chant originel, confié au premier violon solo. Noté par Florentz au cœur de la nature, d'après la voix d'une fillette apparue au milieu de ce paysage tropical, celui-ci fut ensuite tamisé par l'imagination du musicien, au prisme de la poésie de Jean-Joseph Rabearivelo.

Nous abandonnons à regret ce paradis sonore, qui renoue avec les rêveries primitivistes de façon très rousseauiste. Après avoir traversé l'océan indien, nous survolons à présent le Gange (le fleuve sacré a été magnifié par Roussel dans la troisième de ses *Évocations* pour orchestre) et nous nous arrêtons pour méditer en terre bouddhiste : avec *Dharmasala, la montagne aux aromates*, Dominique de Williencourt confie à un octuor de violoncelles le soin de réveiller les voix de jeunes bonzes, les sons de conques et de percussions sacrées. Nourries de ses expériences au cœur des déserts, ses partitions pourraient à elles seules nous faire voyager bien loin (*Etchmiadzine ou le mont Ararat* ou encore *Edgédé, la dune qui chante*). Mais notre périple nous conduit plus à l'est : nous arrivons au Vietnam. Dans *Le Son de Hanoï* (1995), Pierre Mariétan propose une composition radiophonique constituée uniquement d'éléments captés dans la capitale asiatique ; il faut écouter l'œuvre du Vietnamien Tôn-Thât Tiêt pour découvrir un univers moins urbain.

Nous voici aux portes de l'Empire du Milieu. Avec ses *Eight Memories in Watercolor* (1978) popularisées par le pianiste Lang Lang, le compositeur chinois Tan Dun nous accueille à mi-chemin entre les rêveries aquatiques d'un Debussy et la musique traditionnelle de son pays. Il est célèbre pour avoir inventé une musique « organique », mêlant de façon purement acoustique sons naturels et effectif symphonique. Dans son *Water concerto* (1998), un percussionniste soliste dialogue avec l'orchestre en s'affairant autour d'un bassin d'eau qu'il effleure, frappe, tapote, remue, éclabousse... Le principe est reconduit dans son *Paper concerto* (pour panneaux de papier) puis dans son *Earth concerto* (pour pierres et morceaux de céramique). En réveillant ainsi les esprits logés au cœur des éléments naturels, Tan Dun ressuscite l'image de son village natal, marqué par l'animisme. Dépaysés par cette approche mystique, qui donne à entendre le vitalisme universel, nous décidons de pousser plus à l'est encore : au pays du Soleil-Levant.

Les *Six Japanese Gardens* (1993) de la compositrice finlandaise Kaija Saariaho nous mènent au cœur des jardins de Tokyo. La percussion y est doublée d'une partie électronique dans laquelle furent travaillés des bruits de la nature, des chants rituels et des instruments enregistrés au Kunitachi College of Music. La poésie de cette musique rappelle celle des compositeurs nippons. Dès *In an Autumn Garden* (1973), pour orchestre de gagaku, Tōru Takemitsu fait ainsi surgir un Japon fantasmagorique. « Ma musique est comme un jardin, explique le musicien, et je suis le jardinier. » À l'image du titre de son quatuor à cordes *Landscape* (1960), son œuvre se fait tout entière paysage. On découvre des terres brumeuses et mouillées, à la faveur de son vaste cycle sur la pluie (*Rain Tree Sketch*, *Rain Spell*, *Rain Coming*, *Rain Dreaming*,...). On chemine au gré de changements de lumière, de couleur et de texture : un univers aussi sobre et sophistiqué que celui des jardins japonais. Opérant une synthèse originale entre Orient et Occident, l'art de Takemitsu est toujours ancré dans une relation intime à la nature, comme le montrent encore ses partitions consacrées à l'eau (*Toward the sea*), au vent (*How slow the wind*), au rythme des saisons, au ciel et aux astres... La musique de son cadet Toshio Hosokawa approfondit elle aussi cet univers d'infinie délicatesse où prolifèrent les jardins printaniers, les paysages maritimes, les lotus et les clairs de lune : mais il faut nous contraindre à quitter cette terre de haute poésie.

Comme les oiseaux migrateurs, nous nous envolons pour un long trajet qui nous mène jusqu'en Finlande. À l'invitation d'Einojuhani Rautavaara, nous découvrons avec *Cantus Arcticus* (1972) les grands espaces nordiques. Ce concerto « pour oiseaux et orchestre » associe à l'effectif symphonique une bande-son enregistrée près du cercle arctique, dans les tourbières de Liminka. Cygne chanteur, canard chipeau, bergeronnette printanière, fuligule morillon, phragmite des joncs et autres sternes arctiques sont les vraies stars de ce nocturne souvent interprété et enregistré.

Portés par ces chants ornithologiques, nous poursuivons plein nord. En nous remémorant l'appel du grand large auquel nous conviait Carl Nielsen dans son *Voyage imaginaire aux îles Féroé* (1927), nous gagnons, de l'autre côté du pôle, les vastes horizons du Nouveau Monde. Messiaen nous accueille dans l'État américain de l'Utah avec *Des Canyons aux étoiles* (1974). Cette ample partition est émaillée de chants d'oiseaux entendus au cœur des canyons de Cedar Breaks. Ils ne sont pas enregistrés mais, comme toujours avec lui, retranscrits dans un langage orchestral. Cet environnement somptueux de rochers rouges et de pins verts est propice à la contemplation comme à l'exaltation spirituelle. Nous survolons à présent les *Amériques* très urbaines de Varèse, le Mississippi chanté par le jazz, la forêt brésilienne qui inspira Milhaud dans *L'Homme et son désir*, et voici déjà l'Argentine, le terme de notre voyage. Piazzolla nous y attend avec *Las Cuatro Estaciones Porteñas* (1970) : à la fin du XXe siècle, les quatre saisons autrefois pastorales de Vivaldi sont devenues urbaines, au cœur de Buenos Aires, et au rythme du tango !

Soundscape et écologie musicale

Le développement des techniques d'enregistrement et l'émergence de la musique électro-acoustique conduisent peu à peu à une prise en compte écologique de la perception auditive. Au début des années 1970, les travaux de Murray Schafer popularisent la notion de « paysage sonore » (*soundscape*, calqué sur le mot *landscape*). Tel est le titre de son essai paru au moment même où naît la notion d'écologie. Le propos est articulé à une réflexion sur la pollution sonore à l'heure postindustrielle. Extension des zones urbaines, moteurs toujours plus puissants des machines, bangs supersoniques du Concorde flambant neuf, envolée des décibels lors des concerts de musique rock : cette décennie serait la plus bruyante de l'histoire de l'humanité ! Or Schafer s'interroge : quelle est la relation entre l'homme et son environnement acoustique ? Et qu'arrive-t-il lorsque ce dernier se modifie ? Il rêve pour sa part de ré-harmoniser les rapports de l'homme aux sons qui l'entourent.

La première implication de ses travaux est scientifique : grâce à lui, l'écologie sonore devient un vaste champ d'études. Schafer incite à répertorier les paysages sonores de la planète, dans toute leur diversité, et il conçoit des outils pour les délimiter, les noter, les analyser et les classifier. La fondation du *World Soundscape Project* constitue le fer de lance du mouvement sur le continent nord-américain ; elle est bientôt relayée par de grands congrès annuels comme le *World Forum for Acoustic Ecology*. Mais ces recherches ont des conséquences esthétiques : simple moyen technique à l'origine, le domaine du *field recording* (prise de son) devient un courant artistique fondé sur la captation. Tendre le micro vers le monde relève d'une démarche nouvelle. L'ambition est de restituer tels quels les paysages sonores, en invitant les auditeurs à une expérience inédite : l'immersion auditive totale. Déjà Luc Ferrari avait simplement posé ses appareils enregistreurs sur le littoral de l'ex-Yougoslavie pour *Presque rien n°1, Le Lever du jour au bord de la mer* (1970) : une œuvre constituée d'un seul et vaste plan-séquence. Le *field recording* capte les sons du désert, de la mer, des glaciers... Peter Cusack s'intéresse par exemple à ceux du lac Baïkal, en Sibérie, au moment de la fonte des glaces au mois d'avril. Après la photographie, la phonographie réclame ses lettres de noblesse.

Ce courant artistique connaît autant de succès qu'il suscite de débats : comment dépasser la visée documentaire ? Faut-il exclure du champ les sons urbains ? Un compositeur comme Pierre Mariétan s'en défend : pour lui, le continuum sonore doit être pris en compte dans sa totalité, sans restriction ni artificielle distinction entre l'homme et la nature. Quoi qu'il en soit, le *field recording* connaît de nombreux dérivés, parfois déclinés dans un style bucolique plus ou moins naïf. Diffusés dans le commerce dès les années 1970, les chants de baleine font retentir les abysses de façon envoûtante : ils suscitent d'emblée un engouement collectif. Aujourd'hui, les bandes-sons de cascades, de vagues ou de grillons se multiplient, souvent mixés à des trames électroniques planantes : elles se transforment en véritable business. Ces enregistrements relaxants attirent pour des raisons tantôt thérapeutiques, tantôt ésotérico-mystiques : ils sont très en phase avec une conception *new age* de la nature. Si leur écoute permet à des populations urbanisées d'échapper fantasmatiquement à l'asphalte et au béton, ces singuliers palliatifs ne constituent pas moins le comble de l'artifice kitsch.

Les travaux de Schafer connaissent enfin un prolongement écologique. S'intéresser aux écosystèmes encore préservés de l'urbanisation conduit en effet à une prise de conscience environnementale : certains paysages sonores sont menacés de disparaître, donc de ne plus être entendus. Or les sons naturels en péril méritent d'être sauvegardés non seulement pour eux-mêmes, mais parce qu'ils sont les porteurs de représentations symboliques fortes. L'écologie sonore possède ainsi une ambition anthropologique, liée à la volonté de préserver un patrimoine qui n'a cessé d'alimenter l'imaginaire humain.

Elle est aussi à l'origine du design sonore. Cette nouvelle discipline située au carrefour entre l'acoustique, les sciences sociales et l'esthétique vise à améliorer la qualité de l'environnement sonore. Associée à l'architecture ou à l'aménagement du territoire, elle ne se contente pas de lutter contre le bruit : elle modèle les sites en s'employant à conserver, à contrôler ou à imaginer des sons. Aujourd'hui en plein essor, le design sonore a été popularisé grâce aux jardins sonifères : acoustiquement pensés, ils font par exemple entrer l'air et l'eau en contact avec différentes surfaces : bois, bambous, métaux, pierres, coquillages... Les anciennes harpes éoliennes réapparaissent dans des décors constitués de roues hydrauliques ou d'automates faisant chanter les éléments naturels.

Schafer concevait la nature comme une immense composition musicale : au compositeur de l'orchestrer, en quelque sorte. Mais les limites entre musique et simples installations sonores sont floues. Dans *Music for Wilderness Lake*, lui-même s'employa à disperser douze trombonistes sur des radeaux, à la surface d'un petit lac de campagne. Assez proche du *land art* des plasticiens ou des œuvres de Christo, ce type de dispositif est favorisé par la désacralisation contemporaine des salles de concert. Celles-ci ne sont plus considérées comme les seuls lieux de production musicale. Les expériences sont multiples : Michel Redolfi imagine des concerts subaquatiques, pour des auditeurs plongés en pleine mer ou au fond d'une piscine ; Théodosius Victoria invente des « audiostructures » intégrées dans l'environnement et reliées à l'énergie solaire ; et aujourd'hui Pierre Estève fait résonner des orchestres de stalactites ou exploite les potentialités sonores de matériaux recyclés.

Le public est en général au rendez-vous, friand de toute expérience insolite au cœur de la nature. De fait, les concerts en plein air ont eux-mêmes connu une formidable extension depuis quelques décennies. A priori peu favorables aux musiciens, pour des raisons acoustiques, ceux-ci se sont néanmoins multipliés avec la mode des festivals. Qui contesterait aujourd'hui le charme spécifique qu'il y a à écouter un opéra aux arènes de Vérone, un concert symphonique à la Waldbühne de Berlin ou un récital de piano sous les frondaisons de La Roque d'Anthéron ? Le plein air suscite une autre écoute, entrelaçant la musique et les aléas de l'environnement ; et les auditeurs communient dans l'idée sans doute utopique qu'un rituel naturel aurait remplacé le rite social.

L'OPÉRA AU SECOURS DE LA PLANÈTE ?

Mais les compositeurs sont-ils prêts à se mettre au vert, comme le souhaitait Schafer, et à assumer ce rôle de guides dans la réorchestration de l'environnement du monde ? Si beaucoup s'en méfient, craignant de ne plus produire que des musiques d'ambiance, certains commencent à faire de l'écologie la thématique même de leurs œuvres. Parfois anecdotiques (Gérard Meunier consacre une sonate pour piano aux oiseaux victimes des marées noires), celles-ci peuvent devenir les vecteurs d'une prise de conscience environnementale, notamment dans le genre lyrique. La thématique affleure déjà dans le *JJR, citoyen de Genève* monté par Philippe Fénelon à l'occasion du tricentenaire de Jean-Jacques Rousseau (2012) : tandis que dans une première partie intitulée « Nature » résonnent diverses réminiscences – murmures de la forêt de *Siegfried*, pastiche de chants d'oiseaux à la façon de Messiaen, citation furtive de la chanson *Colchique dans les prés* – le livret signé

Ian Burton fait du philosophe genevois le père de l'écologie moderne, en mêlant citations rousseauistes et allusions contemporaines aux ravages de la déforestation ou aux gaz à effet de serre.

Créé à la Scala de Milan au printemps 2015, *CO2* de Giorgio Battistelli aborde plus frontalement le sujet. Également signé Ian Burton, le livret est tiré du livre d'Al Gore, *Une vérité qui dérange*. Traitant des désastres écologiques qui s'annoncent, celui-ci avait déjà fait l'objet d'un documentaire cinématographique. Robert Carsen construit sur cette trame une mise en scène très didactique : nature tour à tour sauvage et menacée par les cataclysmes, société de consommation incarnée par une bataille de caddies, courbes et graphiques appuyant les thèses des scientifiques, joute à l'ONU lors de la conférence de Kyoto… Cette œuvre voit le jour quelques semaines avant la parution de la première encyclique jamais consacrée à l'écologie – dans *Laudato si'*, le pape François en appelle à une redéfinition du progrès humain et à une conversion environnementale – et quelques mois avant une réunion très attendue de la COP21 à Paris, destinée à prendre des mesures drastiques pour limiter le réchauffement climatique. Mais l'opéra peut-il sauver la planète ? Et l'avenir réside-t-il dans l'éco-musique ?

Univers

La nature comme modèle

> L'esprit travaille inconsciemment dans une direction
> comparable à celle de la nature.
> LÉVI-STRAUSS

> La peinture, ce n'est pas copier la nature
> mais c'est apprendre à travailler comme elle.
> PICASSO

L'émergence de l'électroacoustique, le design sonore ou les enregistrements zen ne suffisent pas à épuiser le sujet. Car la nature ne se réduit pas aux paysages, aux écosystèmes et à l'environnement : elle est aussi une réalité physique beaucoup plus large, et une idée véhiculant une conception du monde. Or les mutations se sont accélérées : la science élargit sa connaissance de la nature jusqu'aux confins de l'univers, qui prend désormais la forme d'un espace en pleine expansion. Afin de voir comment la musique reflète cette évolution, on propose de déplacer la perspective. Jusqu'à présent, en effet, on a privilégié les œuvres descriptives ou évocatrices. Et si la nature n'était pour la musique pas seulement un motif ou un matériau, mais aussi un modèle ? Peut-être les compositeurs n'écrivent-ils pas toujours *à partir de* la nature, mais *comme* la nature. Y compris à leur insu.

Analogies formelles

Un constat de Pierre Boulez constitue un bon point de départ : « La pensée tonale classique est fondée sur un univers défini par la gravitation et l'attraction ; la pensée sérielle sur un univers en perpétuelle expansion[1]. » L'attraction qu'évoque Boulez est celle de la tonique, dans le style classique, et l'expansion dont il parle est liée à la suppression de toute hiérarchie entre les hauteurs, au temps du sérialisme. L'analogie cosmologique est quasi explicite : à l'époque où la nature s'exprime à travers les lois de la gravitation, surgit peu à peu une musique elle aussi façonnée sur les lois de l'attraction, selon le principe tension/détente ou dissonance/consonance. C'est toute l'histoire de l'école dite classique, magnifiée par Haydn et Mozart. Au temps d'Einstein, qui voit triompher la théorie de la relativité et la représentation d'un espace en expansion, la musique se métamorphose en conséquence : effets d'éclatement et de décentrement permanents, perte de la stabilité des repères. L'auditeur doit accepter de s'en remettre à la seule poésie sonore. Les « œuvres ouvertes » et les partitions conçues comme « processus » se trouvent elles aussi en phase avec les théories scientifiques contemporaines.

1. Boulez [1], p. 297.

Quel que soit son objet, et même lorsqu'elle ne semble renvoyer qu'à elle-même, la musique occidentale est donc toujours corrélée à une représentation de la nature. Au cœur du XVIIIe siècle, Jean-Sébastien Bach traite son matériau comme le Dieu de Leibniz façonne l'univers. De même que pour le philosophe, la multiplicité des phénomènes procède nécessairement de l'Un – la pensée divine, calculatrice et créatrice –, le musicien démontre dans *L'Art de la fugue* que d'une matrice unique procède une infinité de possibles.

Au début du XIXe siècle, Beethoven abandonne pour sa part les formes très architecturales au profit de structures plus dynamiques, orientées dans le temps. Le modèle est en partie littéraire (il conçoit ses symphonies comme des drames) mais aussi biologique. Souvent le matériau de ses compositions est concentré sous la forme d'un motif initial (pensez aux quatre premières notes de la *Cinquième Symphonie* !) qui se déploie ensuite dans la temporalité de l'œuvre : comme une graine que l'on sème, qui germe et s'épanouit peu à peu.

Ces formes « organiques » (ainsi nommées car elles se déploient à la façon d'un organe biologique) prospèrent à une époque où la nature n'est plus conçue comme une horloge immuable bien réglée, mais comme un être vivant qui grandit et évolue dans le temps. Comme le vivant en général, les œuvres ne se résument plus alors à une somme de parties assemblées : elles se conçoivent comme une totalité énergique. Au temps de Beethoven, la notion de génie renvoie justement à l'artiste ne créant plus *d'après* la nature, mais *comme* la nature, en insufflant à son œuvre la vie de l'univers, sa pulsation ou sa dynamique propre. Comme elle, le génie est une force créatrice qui fait surgir la vie du néant.

Au siècle suivant, Bartók cherche souvent à construire ses œuvres selon la proportion du nombre d'or, qui régit de nombreux phénomènes naturels : écailles de pommes de pin, étamines des fleurs de tournesol ou écorces d'ananas. On pourrait multiplier les exemples d'analogies de structure entre musique et nature, tant cette dernière, incroyable génératrice de formes, ne cesse de fournir des modèles aux artistes. Le lever de soleil, par exemple, en est un fréquent (voir ci-contre). Mais l'un des modèles naturels les plus prisés, au XXe siècle, est d'ordre végétal.

Le modèle végétal

L'Art Nouveau constitue un bon point de comparaison dans les arts figuratifs. Autour de 1900, peintres, architectes et décorateurs ne traitent plus seulement les plantes en motifs qu'il s'agirait de représenter, mais en véritables modèles formels : les façades ondulent, les colonnes se font nervures et les fenêtres feuilles. À Paris, Guimard végétalise les bouches de métro : il conçoit les abris comme des palmes et les réverbères comme des fleurs élancées. Visitez l'extraordinaire Sagrada Familia de Gaudi à Barcelone, et vous verrez à quel point la nef de cette cathédrale est pensée *comme* un ensemble végétal : forêt de piliers, frondaison des voûtes, profusion luxuriante.

Le soleil et la lune

Des aubades aux sérénades, chaque heure du jour et de la nuit possède de longue date son propre répertoire. Au siècle des Lumières, l'opposition entre le soleil et l'ombre gagne une dimension symbolique dont s'empare l'univers lyrique, des *Indes galantes* (« Hymne au soleil ») et de *Zoroastre* à *La Flûte enchantée*. Mais à partir de Haydn – auteur de trois symphonies intitulées *Le Matin*, *Le Midi* et *Le Soir* – la musique instrumentale s'intéresse elle aussi à l'astre du jour.

Dès *La Création*, le lever de soleil fournit un modèle formel : celui d'une progression continue, insensible et magistrale. Celle-ci se concrétise, musicalement, en un vaste crescendo orchestral aboutissant à un climax d'une grande intensité. Ce modèle structure par exemple l'ouverture *Hélios* de Nielsen et, d'une certaine façon, la *Chevauchée nocturne et lever de soleil* de Sibelius. Si certains musiciens tentent parfois d'imiter les sons de la nature à l'aube (écoutez le superbe « Lever du jour » dans *Daphnis et Chloé* de Ravel), la plupart cherchent surtout à calquer leur musique sur le rythme naturel du soleil : première partie de *La Mer* de Debussy (De l'aube à midi sur la mer), triptyque symphonique de d'Indy *Jour d'été à la montagne* (Aurore – Jour – Soir), trio *Círculo* de Turina (Lever du jour – Midi – Crépuscule), *Le Réveil des oiseaux* de Messiaen, etc.

Si chez Trenet le soleil a rendez-vous avec la lune, les phases de cette dernière n'ont pas constitué de modèle formel aussi déterminant. L'astre ne cessa pourtant de rayonner, de l'*An den Mond* de Schubert à *Diane, Séléné* de Fauré. Inséparable du genre du nocturne, il répand sa douce lumière sur tous les grands duos d'amour romantiques, jusqu'au « Clair de lune » de *Werther*. Mais c'est une lune de sang qui luira sur les expressionnistes *Salomé* (Strauss), *Erwartung* et *Pierrot lunaire* (Schoenberg).

Bien des compositeurs entreprennent une démarche similaire, en dehors même de l'Art Nouveau. Ils pensent la forme musicale en termes d'arborescence, de rhizome ou de ramifications. *L'Arbre des songes* d'Henri Dutilleux est très emblématique de cette approche. Ce magnifique concerto pour violon dédié à Isaac Stern en 1985 n'a rien d'un tableau réaliste : il ne cherche pas à reproduire la sonorité du vent dans les feuilles. Le titre onirique renvoie au contraire à un processus : « L'œuvre se déploie un peu à la manière de l'*arbre*, explique Dutilleux, dont les ramifications se multiplient et se renouvellent constamment. » « Par sa morphologie, confesse-t-il encore, l'arbre m'a toujours fasciné. Je tombe en arrêt devant un grand chêne ancestral, ou encore les fameux séquoias qui semblent pouvoir s'élancer sans limites. [...] Pour moi, certaines formes musicales s'apparentent à cette morphologie de l'arbre en partant des racines et en suivant le déploiement prodigieux et infini des ramifications[1]. »

On ne saurait être plus explicite. L'avant-garde admire en général la folle prodigalité du végétal : celui-ci est toujours « un mode d'être *en devenir*, explique Marik Froidefond, inépuisable producteur de formes innombrables qui se métamorphosent au gré des heures[2] ». On exploite alors ce modèle de façon très diverse pour enrichir les modes d'orga-

1. Dutilleux, p. 153.
2. Cazalas et Froidefond, p. 8.

nisation ou de perturbation du matériau sonore : enchevêtrements divers (Ligeti, *Ramifications*), idée de bourgeonnement (Xenakis, *Thallein*), prolifération liée à la technique de la bouture (Grisey, *Talea ou la machine et les herbes folles*). Le modèle de l'arbre structure encore *Kontakte* de Stockhausen, de la macrostructure (branches et frondaison) à la microstructure (les cellules de la feuille).

Ce modèle végétal permet aux avant-gardes de penser l'idée d'un foisonnement organisé. Il est souvent revendiqué de façon explicite. Boulez compare ainsi une idée musicale à une graine : « Vous la plantez dans un certain terreau, et, tout d'un coup, elle se met à proliférer comme de la mauvaise herbe. Il faut, après, élaguer[1]. » Mais ce modèle est parfois convoqué par l'auditeur pour décrire les effets d'une œuvre qui ne s'en revendique point : Jankélévitch compare ainsi la musique d'Albéniz à une plante tropicale à la croissance prodigieuse, et Adorno celle de Berg à une plante grimpante, puis à la luxuriance d'une jungle[2]. La métaphore est alors d'un précieux secours pour mettre des mots sur les sons, même si la musique est toujours irréductible au langage.

1. Boulez [2], p. 14.
2. Cazalas et Froidefond, p. 9.

L'imaginaire musical des fleurs

Voilà un excellent prisme illustrant la diversité des relations entre musique et nature !

Première possibilité : l'approche symbolique, grâce au secours de la poésie. Apparues dans la chanson de la Renaissance (*Mignonne, allons voir si la rose*, Costeley/ Ronsard), les fleurs prospèrent dans le répertoire du lied, dans lequel une petite violette (Mozart) ou une rose des bruyères (Schubert) alimentent une réflexion morale sur la vie et l'amour. Dans *Dichterliebe* de Schumann (*Und wüssten's die Blumen*), elles deviennent les confidentes du poète, à l'égal des rossignols et des étoiles. « Tu es comme une fleur » confesse encore Robert à Clara dans ses *Myrthen*... Symbole de la femme aimée ou délaissée (*Le Spectre de la rose*, Berlioz/Gautier), la fleur prend souvent un visage merveilleux, des filles-fleurs de *Parsifal* à la valse des fleurs de *Casse-Noisette*. Sur un mode plus naturaliste, la mélodie française est un vaste herbier, peuplé de lotus (Duparc), de lilas (Chausson) ou de roses d'Ispahan (Fauré). Milhaud a même conçu un insolite *Catalogue de fleurs* à partir du répertoire d'un fleuriste !

Autre possibilité : l'approche expressive, à la façon du 2e mouvement de la *3e Symphonie* de Mahler, « Ce que me racontent les fleurs de la prairie ». Sans la béquille des mots, la musique suggère alors l'ineffable de la nature, qui conduit au divin.

Dernière possibilité : l'approche formelle. Messiaen construit des thèmes-fleurs dont la morphologie est calquée sur de vrais végétaux. La digitale pourprée est par exemple représentée par une série d'accords arrangés comme des grappes sur une tige : l'effet est visuel plus qu'auditif. Mais c'est ainsi qu'iris, nénuphars, orchidées ou glaïeuls se transforment en sons dans le *Catalogue d'oiseaux* ou la *Turangalîlâ-Symphonie* !

Le végétal n'est qu'un modèle parmi tant d'autres. À côté du vivant (les *Métaboles* de Dutilleux se fondent sur les transformations propres au monde biologique), la nature inorganique fournit de nombreux modèles. L'eau reste le premier d'entre eux. On a déjà évoqué bien des musiques aquatiques, mais l'élément liquide ne suscite plus seulement des poèmes symphoniques ou des tableaux sonores. Ainsi, *La Rivière* de Pascal Dusapin (1979) n'est ni une nouvelle *Moldau*, ni une rêverie poétique à la façon de Debussy : elle s'intéresse à la question du débit musical. De même, Bruno Mantovani réduit au minimum les effets figuratifs dans ses propres *Jeux d'eau* (2012). L'écoute attentive d'un torrent montagnard, qui stimula la composition de ce concerto pour violon, a surtout alimenté une réflexion sur le continuum sonore et sur la fluidité capricieuse : « l'eau se heurte au milieu naturel comme l'archet à la corde », écrit-il dans sa note d'intention.

Aujourd'hui, les compositeurs s'attachent donc moins à imiter l'apparence de la nature, ou à exprimer les sentiments qu'elle provoque, qu'à recréer ses formes ou les processus dynamiques qui l'animent en profondeur. Mais une grande diversité d'approches reste possible, comme le montrent les musiques inspirées des astres.

Au XXe siècle, de Dallapiccola (*Vol de nuit*) à Dutilleux (*Timbres, espace, mouvement, la nuit étoilée*), planètes et étoiles restent parfois l'objet d'une contemplation mystique. Mais les invocations poétiques appartiennent à un temps révolu, ou du moins se trouvent-elles contenues désormais dans le seul répertoire de la chanson. De fait, l'univers stellaire suscite des pages autrement plus âpres. Il faut dire que l'équilibre harmonieux du cosmos ancien et l'imagerie romantique du ciel étoilé ont fait place au tableau peint par les astronomes modernes : celui d'un monde chaotique fait de chocs, de collisions et d'éclats, peuplé de nébuleuses incandescentes et de trous noirs, dans lequel tout semble violence ou vide intersidéral.

En 1918, l'Anglais Gustav Holst avait créé la première suite pour orchestre jamais consacrée aux corps du système solaire, mais ses magistrales *Planètes* s'intéressent surtout à la symbolique véhiculée par chacun des dieux mythologiques qui leur prêtent nom. Conçue au cœur du premier conflit mondial, la partition ne s'ouvre pas avec Mercure mais avec Mars, l'incarnation de la fureur guerrière. Commencée à la même période et travaillée à travers plusieurs décennies, la *Symphonie de l'univers* de Charles Ives aurait brossé un saisissant tableau cosmique, si son ambition utopique ne l'avait condamnée à l'inachèvement.

Pour sa part, Gérard Grisey signe avec *Le Noir de l'étoile* (1990) une œuvre impressionnante, au carrefour de la science et de la musique. Le dispositif rassemble six percussionnistes, une bande magnétique et une transmission *in situ* de signaux astronomiques. L'ancienne rêverie sur la « musique des sphères » est devenue réalité très concrète, puisque les fréquences produites par les astres sont désormais susceptibles de devenir « audibles ». Aussi cette œuvre diffuse-t-elle le son amplifié d'un pulsar, tandis que les percussionnistes, répartis autour du public, déploient des formes conçues sur le principe de la rotation sonore, au tempo dicté par le rythme astral. La partition de Grisey atteint une véritable puissance incantatoire, à l'image des anciens rites lunaires ou solaires, dans lesquels la musique avait une fonction chamanique.

Si, dans *Le Noir de l'étoile*, les infra-sons de la nature sont rendus audibles et détournés à des fins esthétiques, l'astronomie fournit souvent aux musiciens un simple modèle formel. Toujours friand d'équations, Xenakis fonde certaines structures sur la théorie cinétique des gaz interstellaires, mais la plupart méditent plutôt sur les constellations : John Cage conçoit des partitions graphiques aux hauteurs indéterminées à partir de véritables cartes astronomiques (*Atlas Borealis*), Dallapiccola dessine des courbes mélodiques calquées sur les figures de Cassiopée ou de Pégase (*Sicut Umbra*), Boulez met la notion de constellation au service de la forme ouverte (*3e Sonate*). Dans *Éclipses*, Miroglio demande au violoniste de se déplacer au sein de l'effectif instrumental, telle une étoile apparaissant ou disparaissant dans l'aura d'une autre. Quant à Stockhausen, il prévoit pour *Sternklang* (le son des étoiles) un dispositif proche du happening, qui appelle les musiciens à se déployer en plein air, une nuit de pleine lune, pour exécuter une musique fondée sur l'étude des constellations.

Les astres sont bel et bien des générateurs de formes. Mais s'ils stimulent l'écriture, ils peuvent aussi guider l'écoute : « Imaginez l'univers entier en train de sonner et de résonner, expliquait déjà Mahler dans une lettre de 1906 à propos de sa *Huitième Symphonie*, dite "des mille" : il ne s'agit plus de voix humaines, mais de planètes et de soleils en pleine rotation. » En conversation avec Jonathan Cott, Stockhausen s'épanche de façon similaire : « Pensez à la musique de Webern, à ces constellations d'intervalles. Et dites-vous que vous pensez à des étoiles, à des constellations dans le ciel. Dites-vous que vous êtes en train de penser à Cassiopée ou à la Grande Ourse. »

UNIVERSAUX

La pertinence de ces modèles naturels suscite néanmoins de nombreux débats. Les compositeurs doivent-ils asservir leur inspiration à des éléments extra-musicaux ? Si l'idéal ou le fantasme d'une musique « pure » ne cesse de resurgir, les partisans des modèles naturels renouvellent la réflexion théorique. Dans un passionnant essai intitulé *Mythe, musique, nature*, François-Bernard Mâche estime que l'échec de certains courants d'avant-garde tiendrait à « l'illusion prométhéenne que le compositeur, comme les technocrates, pouvait créer une seconde nature, libérée des servitudes de la première par un arbitraire souverain, et que la musique, au lieu d'être une énergie ou une matière première, était un jeu de signes socialement échangeables, comme un papier-monnaie[1] ». Pour lui, les modèles naturels sont non seulement souhaitables mais inévitables, tant ils constitueraient une loi universelle de la création artistique.

Comme Mâche, de nombreux musiciens cherchent à fonder leur art sur la nature afin de lui conférer une dimension universelle. Mais de quelle nature parle-t-on alors ? S'agit-il de la nature physique ? Ou s'agit-il plutôt du vivant ? La seconde moitié du XXe siècle a ainsi vu resurgir le débat qui avait opposé Rameau et Rousseau en leur temps. L'école spectrale est, pour sa part, la lointaine héritière du théoricien de l'harmonie : elle entend régénérer l'écriture musicale en se fondant sur la nature même du son, et plus précisément sur la physique des harmoniques produits par la vibration des corps sonores. La musique opère alors une forme de radiologie du son, soit par la médiation de la peinture (Hugues Dufourt écrit *Le Déluge d'après Poussin* ou *Les Chasseurs dans la*

1. Mâche, p. 105.

neige d'après Bruegel), soit comme Tristan Murail en s'inspirant directement de la nature (*Le Nuage de Magellan*, *La Dérive des continents*, *Treize couleurs de soleil couchant* ou *L'Esprit des dunes*). *Partage des eaux* (1995) ou *Bois flotté* (1996) reposent pour leur part sur l'analyse spectrale des sons marins : vague, houle, ressac. Manipulés, dilatés, transformés, ceux-ci deviennent matériau harmonique et mélodique.

Mâche est au contraire un héritier de Rousseau : les sons de la nature lui importent plus que la nature du son. Il ne recherche donc pas les universaux dans la tonalité ou la résonance, mais dans les mythes et au sein d'une nature moins physique que biologique. « Partout, consciemment ou non, écrit-il, les musiques trahissent leurs attaches avec les sons du biotope[1]. » Pour lui, il existe une continuité entre les formes sonores de notre environnement (souffle du vent, murmure de l'océan ou chant des oiseaux) et les musiques du monde. Celles-ci seraient pour la plupart d'origine figurative, et fondées sur de grands archétypes. Le galop du cheval, par exemple, serait l'un de ces universaux, devenu modèle rythmique très fréquent dans bien des répertoires. Ce n'est que par un mouvement d'abstraction que les référents naturels auraient alors été effacés. Mâche prend l'exemple du *Suwa-Ikazuchi*, pièce de percussion traditionnelle au Japon : originellement conçue comme un rite propitiatoire de pluie, en imitant le bruit d'un violent orage, elle devient marche militaire

1. Mâche, p. 72.

appelant les guerriers à l'assaut, avant de ne plus constituer qu'une impressionnante pièce de concert.

Célèbre pour avoir jeté les fondements d'une « zoomusicologie », Mâche montre que le sens esthétique n'est pas le propre de l'homme et que les cris d'animaux ont aussi d'autres fonctions que purement biologiques. La continuité établie entre nature et culture lui sert alors de preuve : les universaux de la musique sont à trouver au cœur des biotopes. Seule leur prise en considération permettrait de régénérer la musique occidentale : « Derrière les effondrements successifs et spectaculaires des systèmes de la Tonalité et de la Série, écrit-il, le XXe siècle musical cherche laborieusement à redéfinir un contact entre les universaux mythiques toujours vivants, le monde des sons nouveaux créés par l'homme, et les sons immémoriaux de la nature. » Nul asservissement à cela, car « chercher des modèles dans la nature, assure-t-il, n'est pas se chercher des contraintes par peur de la liberté, comme on a pu le dire de l'instauration des rituels, c'est chercher l'usage le plus efficace de la liberté[1] ». De quoi donner à méditer aux générations de compositeurs à venir !

1. Mâche, p. 208 et 177.

CONCLUSION

La nature comme utopie ?

Si la nature ne cesse de constituer une formidable source d'inspiration, c'est donc de façon bien différente suivant les périodes. Dans le sillage des œuvres descriptives apparues à la Renaissance, la musique s'est employée à *représenter* la nature selon des conventions rhétoriques à travers toute l'époque baroque ; au temps du romantisme, elle s'est mise à traduire les impressions subjectives qu'elle suscite ; elle a ensuite cherché à capter son énergie propre, avant de songer à enregistrer, à transformer et à métamorphoser ses sons.

La musique a aussi procédé *comme* la nature : en se concevant comme jardin ordonné (au temps de Rameau), en développant une vitalité créatrice semblable à celle de la nature (avec Beethoven, ce « maître-constructeur, dont la Nature est le chantier » selon Romain Rolland), ou en tirant de cette dernière de nombreux modèles formels qui ont enrichi son langage (notamment au XXᵉ siècle).

Ce faisant, l'histoire de la musique a accompagné celle des représentations successives de la nature : cosmos harmonieux organisant de façon cyclique le temps humain, au rythme des saisons, et selon l'alternance du jour et de la nuit ; mécanisme ingénieux d'une horloge bien réglée, qu'il serait possible de comprendre par la raison ; énergie vitale traversant toute chose ; univers complexe en expansion, enfin, et ressource à préserver.

Une constante apparaît par-delà cette grande diversité : la nature est souvent invoquée pour ressourcer la musique, rénover son écriture et régénérer son écoute. Mais elle se voit alors dotée de qualités fort différentes : elle représente tantôt l'ordre (à l'image du cycle des saisons), tantôt le désordre (lorsque surviennent tempêtes et cataclysmes) ; tantôt un idéal de simplicité (à l'époque de Mozart et de Gluck), tantôt un modèle d'exubérance et de profusion (au temps de Dutilleux et de Boulez) ; elle est parfois bienveillante et consolatrice (pour les romantiques), parfois violente et barbare (pour les modernes) ; aussi riche et sublime (de Beethoven à Messiaen) que faible et fragile (dans la perspective de l'écologie sonore).

Aussi le « retour à la nature » relève-t-il toujours du fantasme culturel : il est avant tout une utopie très féconde. Celle-ci peut être le fait de musiciens soucieux de valoriser leur art : Rameau entendait ainsi fonder la musique sur les lois « naturelles » de l'harmonie pour la hisser au niveau de la science et lui conférer une portée universelle. Mais le retour à la nature est surtout une utopie régénératrice, à la façon dont l'utilisa la Révolution française dans ses hymnes et ses fêtes civiques placées sous le signe d'Isis. Dans cet esprit, l'utopie naturaliste est souvent le fait d'artistes hantés par l'idée d'une dégénérescence de la musique, et soucieux de ressourcer leur art : les pastorales de la Renaissance opposent un idéal arcadien à la complexité du contrepoint ancien ; Gluck puise à l'idée rousseauiste de nature pour réformer l'opéra emperruqué de son temps ; Debussy revendique les leçons du plein air contre les apôtres de l'académisme ; Mâche oppose l'universalité des modèles naturels à la sclérose du sérialisme… À chaque fois, le recours fantasmatique à la nature légitime une profonde refondation artistique. Mais cette utopie féconde vise aussi à contrer, par l'art, les effets parfois jugés néfastes de l'urbanisation et du progrès technique : elle oppose à la mécanisation du monde un idéal vitaliste. De Rousseau à Schafer en passant par Liszt ou Debussy, la nature devient alors un outil critique, au service d'un discours esthétique ou idéologique.

En l'utilisant de la sorte, les œuvres envisagées permettent-elles de mieux la connaître ? Si les artistes aspirent depuis longtemps à devenir de nouveaux Orphée, afin de soulever le voile d'Isis, ce rêve se révèle sans doute illusoire. Pour soulever ce voile – et découvrir les lois du vivant, comme les secrets ultimes de l'univers – il faudrait que l'homme soit totalement extérieur à la nature. Or le XXe siècle a définitivement battu en brèche toute prétention objectiviste. Les pères de la physique quantique ont entériné l'effondrement de la limite entre l'observateur et l'observé : non seulement le scientifique agit sur le milieu qu'il observe, mais l'homme ne cesse de transformer son environnement. Les récents miracles accomplis par les NBIC (nanotechnologies, biologie moléculaire, informatique et sciences cognitives) montrent que l'interaction entre l'homme et la nature est toujours plus étroite. À l'heure où prospèrent les plantes transgéniques, où se développe l'intelligence artificielle et où le posthumanisme n'est plus un scénario de science-fiction, nature et culture sont devenues totalement inextricables. Dans ces conditions, toute référence artistique à la nature relève plus que jamais de l'utopie, mais tout évitement du sujet devient aussi plus difficile. À défaut de toujours composer *d'après* elle, artistes et musiciens semblent plus que jamais voués à faire *avec* elle, en continuant à l'imaginer.

Orientations bibliographiques

BARTOLI, Jean-Pierre et ROUDET, Jeanne, *L'Essor du romantisme : la fantaisie pour clavier de Carl Philipp Emanuel Bach à Franz Liszt*, Paris, Vrin, 2013.

BELLAIGUE, Camille, « La nature dans la musique », *Revue des deux mondes*, 1er février 1888, p. 609-643.

BOIVIN, Jean, « Musique et nature », dans J.-J. Nattiez (dir.), *Musiques, une encyclopédie pour le XXIe siècle*, Paris, Actes Sud, 2003, I, p. 484-511.

BOUISSOU, Sylvie, *Crimes, cataclysmes et maléfices dans l'opéra baroque en France*, Paris, Minerve, 2011.

BOULEZ, Pierre [1], *Relevés d'apprenti*, Paris, Seuil, 1966.

BOULEZ, Pierre [2], *Par volonté et par hasard, entretiens avec Célestin Deliège*, Paris, Seuil, 1975.

CANDONI, Jean-François, *Penser la musique au siècle du romantisme*, Paris, PUPS, 2012.

CAZALAS, Inès et FROIDEFOND, Marik (dir.), *Le Modèle végétal dans l'imaginaire contemporain*, Presses universitaires de Strasbourg, 2014.

CHION, Michel et REIBEL, Guy, *Les Musiques électroacoustiques*, Ina-GRM, Edisud, 1976.

DUTILLEUX, Henri, *Mystère et mémoire des sons*, entretiens avec Claude Glayman, Paris, Actes Sud, 1993/1997.

FARAGO, France, AKAMATSU, Étienne, GAY, Patrice, GUISLAIN, Gilbert, *La Nature*, Armand Colin, 2015.

FENEYROU, Laurent (dir.), *Silences de l'oracle. Autour de l'œuvre de Salvatore Sciarrino*, Paris, CDMC, 2013.

FÉTIS, François-Joseph, « La Nature et la musique », *Revue et Gazette musicale*, 22 et 29 août 1858.

FRANÇOIS-SAPPEY, Brigitte [1], *La Musique dans l'Allemagne romantique*, Paris, Fayard, 2009.

FRANÇOIS-SAPPEY, Brigitte [2], *Félix Mendelssohn. La lumière de son temps*, Paris, Fayard, 2008.

GERBINO, Giuseppe, *Music and the Myth of Arcadia in Renaissance Italy*, Cambridge University Press, 2009.

GOUNOD, Charles, « La Nature et l'art », *Le Ménestrel*, 31 octobre 1886, p. 381-383.

HADOT, Pierre, *Le Voile d'Isis, essai sur l'histoire de l'idée de nature*, Paris, Gallimard, 2004.

HAQUETTE, Jean-Louis, *Échos d'Arcadie. Les transformations de la tradition littéraire pastorale des Lumières au romantisme*, Paris, Classiques Garnier, 2009.

HERMANN, Jung, *Die Pastorale : Studien zur Geschichte eines musikalischen Topos*, Bern, Francke, 1980.

KASTNER, Georges, *La Harpe d'Éole et la musique cosmique : études sur les rapports des phénomènes sonores de la nature avec la science et l'art*, Paris, Brandus, 1856.

KINTZLER, Catherine [1], *Jean-Philippe Rameau, splendeur et naufrage de l'esthétique du plaisir à l'âge classique*, Paris, Le Sycomore, 1983.

KINTZLER, Catherine [2], « Nature et musique dans l'opéra merveilleux : machines ou effets spéciaux ? » dans J. Duron, *Regards sur la musique au temps de Louis XV*, Mardaga, 2007, p. 141-158.

LAVOIX, Henri, *La Musique dans la nature*, Paris, Pottier de Lalaine, 1873.
LOUVIER, Alain, *Messiaen et le concert de la nature*, Paris, Cité de la musique, 2012.
MÂCHE, François-Bernard, *Musique, mythe, nature ou les Dauphins d'Arion*, Paris, Klincksieck, 1983 / Aedam Musicae, 2015.
MAMY, Sylvie, *Antonio Vivaldi*, Paris, Fayard, 2011.
MARIÉTAN, Pierre, *L'Environnement sonore*, Nîmes, Champ social éditions, 2005.
MESSIAEN, Olivier, *Traité de rythme, de couleur, et d'ornithologie*, A. Leduc, 7 tomes, 1994-2002.
MOINDROT, Isabelle, *L'opera seria*, Paris, Fayard, 1993.
Musique et nature, Les Cahiers du CREM n°3, 1987.
La Musique est-elle contre-nature ?, séminaire tenu le 5 avril 2014, Grenoble/CDMC, en ligne sur www.cdmc.asso.fr
PICARD, Timothée, *Âge d'or, décadence, régénération, un modèle fondateur pour l'imaginaire musical européen*, Paris, Garnier, 2013.
RAMOS, Julie, « Un art intérieur et cosmique : la peinture de paysage romantique », *L'Invention du sentiment aux sources du romantisme*, Paris, Musée de la musique, 2002, p. 60-69.
SCHAFER, R. Murray, *Le Paysage sonore*, [Lattès 1979] Éd. Wildproject, 2010.
SCHLEUNING, Peter, *Die Sprache der Natur : Natur in der Musik des 18. Jahrhunderts*, Stuttgart, J. B. Metzler, 1998.
TIÊT, Tôn-Thât, *Dialogues avec la nature*, entretiens avec Laurence Bancaud, Paris, Cig'art, 2010.
VAN DEN BORREN, Charles, *Notes sur les origines du sentiment de la nature dans la musique*, s.l.n.d.

VENDRIX, Philippe, « Musique et nature : les voies d'un ordre nouveau », *Littérature classiques*, n°17, 1992, *L'idée de nature au début du XVIIe siècle*, p. 263-271.
WILL, Richard, *The Characteristic Symphony in the Age of Haydn and Beethoven*, Cambridge University Press, 2002.

Index

Table des matières

Table des encadrés

Photocomposition PCA
44400 Rezé

Imprimé en France
FRHW010441200122
29681FR00021B/521

9 782213 700458